CETPM®
at Ansbach University
of Applied Sciences
www.cetpm.de

Schriftenreihe „Operational Excellence"

Herausgegeben von Prof. Dr. Constantin May, Hochschule Ansbach

Bisher in dieser Reihe erschienen:

Nr. 1: May, C.; Schimek, P.: Total Productive Management. Grundlagen und Einführung von TPM - oder wie Sie Operational Excellence erreichen, 2. überarbeitete und ergänzte Auflage, Ansbach 2009.
ISBN: 9-783940-775-05-4

Nr. 2: De Groot, M.; Teeuwen, B.; Tielemans, M.: KVP im Team. Zielgerichtete betriebliche Verbesserungen mit Small Group Activity (SGA), Ansbach 2008.
ISBN: 9-783940-775-01-6

Nr. 3: Blom: Schnellrüsten: Auf dem Weg zur verlustfreien Produktion mit Single Minute Exchange of Die (SMED), Ansbach 2007.
ISBN: 9-783940-775-02-3

Nr. 4: Glahn, R.: World Class Processes - Rendite steigern durch innovatives Verbesserungsmanagement – oder wie Sie gemeinsam mit Ihren Mitarbeitern betriebliche Prozesse auf Weltklasseniveau erreichen, 2. durchgesehene Auflage, Ansbach 2010.
ISBN: 9-783940-775-03-0

Nr. 5: Koch, A.: OEE für das Produktionsteam. Das vollständige OEE-Benutzerhandbuch – oder wie Sie die verborgene Maschine entdecken, 2. korrigierte Auflage, Ansbach 2011.
ISBN: 9-783940-775-04-7

Nr. 6: Glahn, R.: Effiziente Büros – Effiziente Produktion. In drei Schritten zu exzellenten Abläufen im gesamten Unternehmen. Antworten auf die wichtigsten Fragen zum nachhaltigen Erfolg, 2., durchgesehene Auflage, Ansbach 2013.
ISBN: 9-783940-775-06-1

Nr. 7: Glahn, R.: Moderation und Begleitung kontinuierlicher Verbesserung. Ein Handbuch für KVP-Moderatoren, Ansbach 2011.
ISBN: 9-783940-775-07-8

Nr. 8: Teeuwen, B.; Schaller, C.: 5S. Die Erfolgsmethode zur Arbeitsplatzorganisation, Ansbach 2011.
ISBN: 9-783940-775-08-5

Nr. 9: Teeuwen, B.: Lean Management im öffentlichen Sektor. Bürgernähe steigern – Bürokratie abbauen – Verschwendung beseitigen, Ansbach 2011.
ISBN: 9-783940-775-09-2

Nr. 10: Klevers, T.: Agile Prozesse mit Wertstrom-Management. Ein Handbuch für Praktiker. Bestände abbauen – Durchlaufzeiten senken – Flexibler reagieren, Ansbach 2012.
ISBN: 9-783940-775-10-8

Nr. 11: Teeuwen, B.; Grombach, A.: SMED. Die Erfolgsmethode für schnelles Rüsten und Umstellen, Ansbach 2012.
ISBN: 9-783940-775-11-5

Effiziente Büros – Effiziente Produktion
In drei Schritten zu exzellenten Abläufen im gesamten Unternehmen.
Antworten auf die wichtigsten Fragen zum nachhaltigen Erfolg.

von
Richard Glahn

2., durchgesehene Auflage

CETPM Publishing, Ansbach

ISBN: 9-783940-775-06-1
Copyright ©2013
CETPM Publishing, Hochschule Ansbach, Residenzstraße 8, D-91522 Ansbach
Tel.: +49 (0) 981/4877-165, http://www.cetpm-publishing.de

Grafikdesign: Stefanie Bauernschmitt, Druckaufbereitung: Rainer Imschloß,
Grafik Titelseite: AKS (www.fotolia.de)
Druck und Bindung: Spintler Druck und Verlag GmbH, Weiden i. d. OPf.

Inhaltsverzeichnis

Wenn Du weiterhin das tust,

was Du schon immer getan hast,

dann wirst Du auch weiterhin nur

das erreichen, was Du schon

immer erreicht hast.

Frei übersetzt nach Abraham Lincoln.

*Behandle die Menschen als
das, was sie sein sollen, und
Du hilfst ihnen zu werden,
was sie sein können.*

1   Was macht einen erfolgreichen Veränderungsprozess aus?

Komplizierte Methoden, innerbetriebliches Gerangel um Macht und Einfluss, Mitarbeiter, die das Gefühl haben, mit ihren Ideen und Erfahrungen auf der Strecke geblieben zu sein – im Rückblick lassen sich sicher viele Veränderungsprozesse so oder ähnlich beschreiben. Dabei haben diese Prozesse eines gemeinsam: sie sind verebbt oder wurden sogar bewusst abgebrochen.

Was aber macht einen erfolgreichen Veränderungsprozess aus? Ist es ein Management, das weniger Wert auf detailliertes Controlling legt, den Mitarbeitern stattdessen mit einem gewissen Vertrauensvorschuss begegnet und bewusst motiviert – vielleicht sogar dann, wenn die erbrachten Leistungen im Einzelfall mal nicht ganz so gut sind? Ist es ein Change-Manager, dem es mit viel Fachwissen, Engagement und eventuell sogar Charisma gelingt, die Mitarbeiter für das Thema Veränderung zu gewinnen? Oder ist DER Erfolgsfaktor vielleicht eine unkomplizierte Methode? Gibt es überhaupt DEN Erfolgsfaktor, wie viele Management-Ratgeber glauben machen?

*Drei Erfolgs-
faktoren*

Die Antwort liegt auf der Hand: Jeder der drei genannten Faktoren, Führung bzw. Führungskräfte, Change-Manager und Methode hat einen großen Einfluss auf den Erfolg eines Veränderungsprozesses. Auf das Zusammenspiel kommt es an.

Ist nur einer der Faktoren unpassend, mündet Veränderung meiner Erfahrung nach tendenziell in Misserfolg. Steht beispielsweise die Unternehmensleitung nicht hinter dem für Veränderung ausgewählten Konzept, ist der Versuch, einen Veränderungsprozess etablieren zu wollen, äußerst anstrengend. Und eigentlich braucht man in einem solchen Fall nicht wirklich zu beginnen, denn von den Führungskräften, die der Unternehmensleitung nachgeordnet sind, wird kaum jemand folgen.

Gehen wir im Weiteren vom günstigeren Fall aus und nehmen an, die Unternehmensleitung hat sich für ein bestimmtes Konzept entschieden und möchte dieses im gesamten Unternehmen einführen. Und recht bald lassen sich sogar einige der nachgeordneten Führungskräfte gewinnen. Dann kann im nächsten Schritt der Change-Manager seinerseits nur dann in der Breite ein positives Echo für das Thema Veränderung erzeugen, wenn er das Thema selbst „lebt", wenn er in der Lage ist, den Funken überspringen zu lassen und darüber hinaus über die nötige Fachkompetenz verfügt, um zu überzeugen und so letztlich möglichst viele Mitarbeiter für ein Mitmachen zu gewinnen.

Und dafür wiederum ist es notwendig, dass die ausgewählte Methode möglichst unkompliziert ist. Bei aller Liebe zur Genauigkeit: Für statistikbasierte Methodenmonster kann sich allenfalls eine zahlenverliebte Minderheit der Mitarbeiter begeistern. Verzeihen Sie diese ketzerisch anmutende Offenheit gegenüber so mancher etablierter Methode, aber meiner Erfahrung nach ist dies so. Methoden, die vom intellektuellen Anspruch her auf Mitarbeiter mit Hochschulausbildung ausgerichtet sind, können nicht in der Breite zum Erfolg führen.

Erfolg durch unkomplizierte Methode

Um also möglichst viele Mitarbeiter für das Thema Veränderung zu gewinnen, bedarf es einer Vorgehensweise, die möglichst jeder verstehen und umsetzen kann – vom Geschäftsbereichsleiter über den Ingenieur bis zum Facharbeiter, vom Bankdirektor über den Kreditsachbearbeiter bis zum Schalterpersonal, um nur zwei Branchenbeispiele zu nennen.

Zwar wird an der Unternehmensspitze die Strategie festgelegt, mit Weitblick und passendem intellektuellem Anspruch. Die Wertschöpfung findet jedoch fast immer auf der Arbeitsebene statt, beim Sachbearbeiter im Büro, dem Facharbeiter in der Produktion oder dem Schalterpersonal mit unmittelbarem Kundenkontakt. Wenn es uns nicht gelingt, diese Menschen aktiv für Veränderung, genauer: Verbesserung zu gewinnen, verliert das Unternehmen sein wertvollstes Know-how zum Thema Verbesserung: das Wissen der Mitarbeiter, die täglich mit den Wert schöpfenden Abläufen zu tun haben und die die Probleme dieser Abläufe und damit die Ansätze für Verbesserung genau kennen und die oft geradezu darauf brennen, umständliche Abläufe endlich ändern zu dürfen.

Lassen Sie uns daher gemeinsam den Weg gehen, hin zu einem einfachen, aber keineswegs simplen „Change-Management" bzw. Verbesserungsprogramm – Schritt für Schritt. Auf dem Weg dorthin besteht die erste Hürde darin, möglichst viele Führungskräfte für die Idee „Veränderung" zu gewinnen.

Es liegt in der Natur des Menschen, dass er die vermeintlich unkomplizierte Gewohnheit mehr schätzt als das Neue, Ungewohnte, eventuell mit Risiken und unerwünschten Folgen Behaftete. Diese unbegründeten Ängste gilt es in Antriebe umzuwandeln, in den Wunsch nach Verbesserung.

Wer schnell gehen will, muss alleine gehen. Wer weit gehen will, muss im Team gehen.

2 Wie gewinne ich das Management für das Thema Veränderung?

Wenn Sie, lieber Leser dieses Buches, nicht jemand aus dem Top-Management sind – dessen Aufgabe es ist, Impulse dafür zu setzen, dass sich das Unternehmen an sich ändernde Markterfordernisse anpasst –, nehme ich mal an, Sie sind jemand, der das Thema Veränderung aus bestimmten Erfahrungen, Überzeugungen oder gar aus aktuellem Anlass in Ihrem Unternehmen vorantreiben möchte. Nun haben Sie sich für Ihr Veränderungsvorhaben vermutlich mit Ihrem Vorgesetzten abgestimmt und zwischen Ihnen beiden herrscht Einklang. Aber wie gewinnen Sie die anderen Damen und Herren, die im Unternehmen etwas zu sagen haben, für Ihre Ideen?

Müssen wir uns überhaupt verbessern?

Mein Weg beginnt stets mit der Frage, ob sich ein Unternehmen überhaupt verbessern muss. Sich dieser Frage kollektiv einmal zu stellen, schafft Einsichten und Einigkeit. Stellen wir also die Frage:

Müssen wir uns überhaupt verbessern?

Ein Blick auf die nächsten fünf Jahre

Um auf diese Frage eine Antwort geben zu können, macht es Sinn, die Führungskräfte des Unternehmens aufzufordern, einen Blick auf die nächsten fünf Jahre zu werfen. Die Fragen, die dabei im Vordergrund stehen, sind Fragen nach der Kostenentwicklung.

Erste Frage: Wie werden sich die Personalkosten des Unternehmens in den nächsten fünf Jahren entwickeln? In der Regel kommen die Führungskräfte schnell zu dem Schluss, dass Personalkosten – bedingt durch Tarifabschlüsse – im Durchschnitt zwei bis drei Prozent pro Jahr steigen. Für einen Zeitraum von fünf Jahren kann man also mit mindestens 10 Prozent Steigerung der Personalkosten rechnen. Dies ist zwar arithmetisch nicht ganz korrekt, denn die Erhöhung der Lohnkosten im ersten Jahr bildet für die Personalkostensteigerungen im zweiten Jahr bereits eine höhere als die ursprüngliche Ausgangsbasis etc. Für die weiteren Überlegungen gehen wir jedoch der Einfachheit halber von 10 Prozent aus.

Zweite Frage: In der verarbeitenden Industrie ist die zweite Frage die nach der Entwicklung der Materialkosten. In Dienstleistungsunternehmen erübrigt sich diese Frage. Zum Thema Materialkosten einigen sich die meisten Management-Gruppen auf Teuerungsraten zwischen drei und fünf Prozent pro Jahr. In der Regel ist mindestens die Teuerung beim Personal der Zulieferer auszugleichen, die oft geografisch nicht allzu weit vom eigenen Unternehmen entfernt sitzen. Hinzu kommen dann oft noch Kostensteigerungen aufgrund einer Materialverknappung, die in jeder Branche etwas anders ausfallen kann. Insgesamt kommen wir hier erfahrungsgemäß zu einer weiteren Kostensteigerung von mindestens 15 Prozent innerhalb von fünf Jahren.

Dritte Frage: Und wie sieht es mit dem Wettbewerbsdruck aus? Wird der Druck durch Wettbewerb sinken, gleich bleiben oder steigen? Angesichts der Tatsache, dass immer mehr Unternehmen in Billiglohnländer abwandern und in diesen Ländern selbst Konkurrenz entsteht, dauert es nicht lange, bis diskutiert wird, dass der Wettbewerbsdruck zunehmen wird. Folglich liegt auf der Hand, dass in Zukunft vermutlich nicht die gleichen hohen Preise für die eigenen Produkte – und in manchen Fällen auch Dienstleistungen – erzielt werden können, wie bisher. Es lohnt sich zu diesem Zeitpunkt kaum, darüber zu spekulieren, welche Preise künftig am Markt erzielt werden können. Auf die Bestimmung eines Prozentwertes wird hier verzichtet; wichtig ist nur die Erkenntnis, dass die Preise mittel- bis langfristig vermutlich sinken.

Hat man diese Grafik (siehe nächste Seite) gemeinsam mit den Führungskräften des Unternehmens am Flip-Chart entworfen, liegt es auf der Hand, dass Handlungsbedarf besteht: Wenn Kosten steigen und Preise potenziell sinken, sinkt der Gewinn. Das leuchtet jedem ein, vom leitenden Angestellten bis zum Mitarbeiter der Produktion.

Ausblick auf die nächsten 5 Jahre

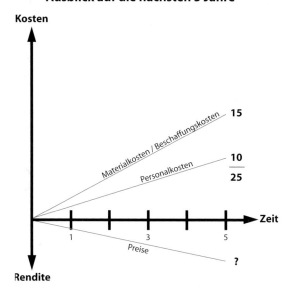

Vierte Frage: „Was haben wir denn erreicht, wenn wir die Kostensteigerungen auffangen, indem wir uns um – mindestens – 25 Prozent verbessern? Wo stehen wir dann in fünf Jahren?" Auch hier lassen die Mitdenker nicht lange auf sich warten: Sie kommen zu dem Schluss, dass nichts erreicht wurde und dass das Unternehmen nach fünf Jahren genau dort steht, wo es sich heute befindet.

Vielleicht kann man nicht wirklich sagen, das Unternehmen habe nichts erreicht, denn immerhin hat es fünf weitere Jahre überlebt und – zumindest halbwegs – die Wettbewerbsfähigkeit erhalten. In jedem Fall aber hat sich das Unternehmen nicht spürbar nach vorne bewegt. Dies wäre jedoch nötig, um neue Investoren zu gewinnen, um zu wachsen und um Mitarbeiter zu motivieren und schließlich für noch bessere Mitarbeiter attraktiv zu werden.

Zwei weitere Fragen

Wenn Sie in Ihrem Unternehmen nicht nur Mitdenker, sondern auch „Mitrechner" haben, schließen sich hier oft noch zwei weitere Fragen an:

1. Auf dem Weg zu der Prozentsumme (in unserem Beispiel 25 Prozent) stellen manche Führungskräfte die Frage, welche Bezugsgröße denn gewählt wird und bemerken zu Recht, dass sich nicht das gesamte Unternehmen um 25 Prozent verbessern

muss. Gut, wenn jemand aufmerksam zuhört. Rechnen wir also noch einmal, am Beispiel eines Industrieunternehmens:

Die Personalkosten liegen in guten Industrieunternehmen meistens bei zirka 40 Prozent der Gesamtkosten oder knapp darunter. Eine Steigerung der Personalkosten um 10 Prozent führt demnach zu einer Steigerung der Gesamtkosten in Höhe von 4 Prozent.

Der Anteil der Beschaffungs- bzw. Materialkosten variiert je nach Zukaufvolumen beziehungsweise eigener Wertschöpfung. Gehen wir hier einmal von Beschaffungs- und Materialkosten in Höhe von 50 Prozent der Gesamtkosten aus, so führen die oben genannten 15 Prozent zu einer Kostensteigerung von 7,5 Prozent.

Zusammen mit der Steigerung der Personalkosten liegen wir in Industrieunternehmen nun bei gerundeten 12 Prozent Kostensteigerung in fünf Jahren. Jeder sachkundigen Führungskraft gehen bei diesem Wert ebenso die Augen auf, wie bei den oben genannten 25 Prozent.

Die Kardinal-frage

2. Und dann taucht die Kardinalfrage auf: „Wie wollen wir es denn erreichen, bei potenziell sinkenden Preisen mindestens diese 12 Prozent Kosten abzufangen? Wenn die Kosten steigen und die Preise sinken, leidet die Rendite doch immer."

Auf dem Weg zu einer Antwort denken die meisten Führungskräfte zuerst an den Abbau von Personal. Dies würde jedoch bedeuten, dass man dem Unternehmen Ressourcen wegnimmt. Anstatt das Unternehmen auf Wachstum auszurichten, wird es einem Schrumpfungsprozess ausgesetzt. Dabei besteht das Ziel eines jeden Unternehmens darin, Geld zu verdienen. Durch Abbau von Personal erreicht man dies allenfalls kurzfristig. Richtig viel Geld und vor allem langfristig verdient ein Unternehmen nur, indem es wächst. Und der Weg dahin ist einfach: Schneller werden!

Der Weg zu stei-gendem Gewinn: Schneller wer-den!

3 Auf dem Weg zu einer passenden Methode

Die Grundfrage, die sich die Führungsmannschaft stellen muss, ist die Frage, auf welchen Aspekt der Fokus gelegt werden soll: Auf das Einsparen von Kosten oder auf die Verbesserung von Prozessen?

Man könnte dazu geneigt sein, zu sagen, dass beide Aspekte im Fokus stehen sollten, denn die Rendite eines Unternehmens steigt sowohl dann, wenn Kosten gesenkt werden, als auch dann, wenn Prozesse verbessert, sprich: schneller werden und so bei gleichbleibendem oder geringfügig steigendem Personalaufwand wesentlich mehr Produkte verkauft und zum Kunden durchgesetzt werden.

Um die Frage beantworten zu können, ob es sinnvoller ist, sich auf Kostensenkungen oder auf Geschwindigkeitserhöhung zu konzentrieren, hilft es, wenn wir uns einen sehr einfachen industriellen Geschäftsprozess anschauen – ohne Zukaufteile, ohne umfangreiches Projektmanagement, ohne Konstruktion oder gar Entwicklung, ohne Planungs- und Steuerungsprozesse für die Produktion und ohne eine umfangreiche Endmontage. Unser Geschäftsprozess beginnt mit dem Vertrieb (V), der einen Auftrag ins Haus holt. Dann durchläuft dieser Auftrag drei Produktionsstufen (P): Aus Rohmaterial wird ein Rohteil gefertigt (P1), dieses wird weiterbearbeitet (P2), so dass ein Zwischenprodukt entsteht, und in einem letzten Arbeitsgang (P3) erfährt das Produkt seine Vollendung. Schließlich wird es von der Logistik (L) ausgeliefert. Am Ende dieses Geschäftsprozesses steht „König Kunde" (in der weiter unten gezeigten Abbildung in „Strang 1" symbolisch durch die Krone dargestellt).

An irgendeiner Stelle hat dieser Geschäftsprozess – wie jeder Geschäftsprozess – seine schwächste Stelle, den so genannten Engpass. Der Engpass zeichnet sich dadurch aus, dass er dem Kapazitätsbedarf des Gesamtprozesses am schlechtesten gerecht wird; vor ihm stapeln sich die zu bearbeitenden Vorgänge (Material in der Produktion, unbearbeitete E-Mails und jede Menge Papier in den Bürobereichen).

Egal wie sich die am Engpass tätigen Mitarbeiter bemühen, sie können unter den gegenwärtigen Bedingungen nur eine bestimmte Menge an Gütern (oder im Büro: Informationen) bearbeiten und zum nächsten Bearbeitungsschritt durchsetzen. Bezogen auf die Güter, die beim Kunden ankommen, kann man sagen: Eine an einem Engpass verlorene Stunde ist eine verlorene Stunde für den gesamten Prozess. Folglich spielt der Engpass für die Verbesserung von Arbeitsabläufen eine ganz besondere Rolle, eine Schlüsselrolle.

Eine am Engpass verlorene Stunde ist eine verlorene Stunde für den gesamten Prozess

Zum Vergleich: Im städtischen Straßenverkehr „sammeln" sich hinter jeder roten Ampel Autos. Springt die Ampel auf grün, löst sich der Stau auf, weil der Engpass vorübergehend vollständig behoben wurde – bis zur nächsten Rotphase. Die an der roten Ampel verlorenen Minuten könnten nur durch erheblich (!) schnelleres Fahren ausgeglichen werden. Jedoch fahren bereits fast alle Autos schneller als 50 Km/h und somit Höchstgeschwindigkeit – genau so, wie die dem Engpass nachgeordneten Mitarbeiter heute bereits ihr Bestes geben und nicht Däumchen drehend herumsitzen. Somit kann der durch rote Ampeln verursachte Zeitverlust faktisch nicht ausgeglichen werden. Für das Durchkommen durch den Straßenverkehr ist es daher von entscheidender Bedeutung, auf wie viele rote Ampeln man trifft. Analog sieht es für Geschäftsprozesse aus.

Vergleichen wir nun basierend auf dieser Erkenntnis die beiden Perspektiven „Kosteneinsparung" und „Geschwindigkeitserhöhung": Wenn wir versuchen, die Verbesserung des Unternehmensergebnisses durch das Einsparen von Kosten zu erreichen, suchen wir in der Regel schwerpunktmäßig nach den Kategorien „Nacharbeit", „Ausschuss" und „Personalkosten" – auf Materialkosteneinsparungen gehe ich in Kapitel 5 ein.

Bei unserer Suche nach Ausschuss, Nacharbeit und Personalkosten stoßen wir markanterweise nicht auf den Engpass, denn dort werden die vorhandenen Kapazitäten meist so gut genutzt, dass sehr geringe Fehlleistungskosten entstehen; oft haben sich die am Engpass tätigen Mitarbeiter wegen des auf ihnen lastenden Drucks eine Vielzahl von Hilfsmitteln geschaffen, beispielsweise Vorrichtungen oder Checklisten, die ihnen helfen, Fehlleistungen bzw. Fehlleistungskosten weitgehend zu vermeiden. Und auch Personalkosten können nur schlecht Hinweise auf einen Engpass geben, denn wenn viel Personal vorhanden ist, kann die Arbeit in der Regel auch problemlos bewältigt werden. So stößt man bei einer Kostenorientierung über entsprechende Kennzahlen tendenziell nicht auf den Engpass, sondern auf Stellen davor oder danach (Strang 2).

Gedanklicher Einschub: Analog zu Nacharbeit und Ausschuss in der Produktionswelt würde man in Büro- bzw. Dienstleistungsprozessen nach der Anzahl von Rückfragen suchen, die erzeugt werden. Vermutlich arbeiten Mitarbeiter an einem Büroengpass wegen des hohen Drucks, der auf ihnen lastet, ebenfalls überdurchschnittlich präzise und erzeugen somit weniger Rückfragen. Statistisch erhoben ist dies zwar noch nicht, jedoch würde sich dies mit meinen Beobachtungen decken, denn auch in Bürobereichen fällt der Blick für Verbesserungen meist auf Stellen vor oder nach dem Engpass und nicht auf den Engpass. Schauen wir uns also an, was passiert, wenn man vor oder nach dem Engpass verbessert:

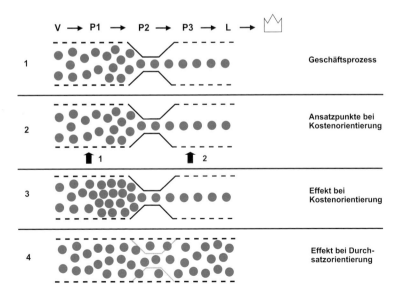

Verbesserung vor dem Eng- pass führt zur Verstopfung des Unternehmens

Möglichkeit 1: Setzt man mit den Bemühungen vor dem Engpass an, so führen die demgemäß generierten „Prozessverbesserungen" zu noch höheren Beständen vor dem Engpass – dort kann ja nicht ohne Weiteres mehr durchgesetzt werden. Dies verstopft das Unternehmen. In den Bürobereichen zeigt sich dies durch Stapel unbearbeiteter Papiervorgänge oder Mengen unbearbeiteter E-Mails. In den Produktionsbereichen verhindert diese Verstopfung nicht nur einen funktionierenden „Fluss", sondern kostet auch noch richtig Geld. Die meisten produzierenden Unternehmen müssen sich ohnehin schon Geld bei Kreditinstituten leihen, weil sie nicht liquide genug sind, um sich das Rohmaterial kaufen zu können, das sie für die Abarbeitung erhaltener Aufträge benötigen. Bezogen auf „Strang 3" heißt dies im Klartext, dass die Unternehmen, die ihre vor dem Engpass liegenden Abläufe verbessern, sich künftig noch mehr Geld leihen müssen, und dies letztlich nur, um Dinge zu produzieren, die sie zu diesem Zeitpunkt aufgrund des Engpasses nicht weiter verarbeiten können und damit zu diesem Zeitpunkt nicht benötigen. Dies übertreffen einige Unternehmen dann noch, indem für diese Güter Lagerhallen gebaut werden – selbstverständlich ebenfalls mit Geld, das man sich zu hohen Zinssätzen leihen muss. Meiner Auffassung nach ist dies der erste Kardinalfehler, den viele Unternehmen begehen. Aber es gibt noch einen zweiten.

Möglichkeit 2: Wir setzen mit unseren Bemühungen nach dem Engpass an. Dies führt zwar nicht zu der soeben beschriebenen massiven Kapitalbindung, ist vom Effekt her jedoch keinen Deut besser. Wer hinter dem Engpass optimiert, kommt fast zwangsweise zu dem Schluss, dass er durch die nunmehr erzielte Verbesserung der Arbeitsabläufe nicht mehr alle der dort tätigen Mitarbeiter benötigt. Oft wird dann Personal freigesetzt. Der dadurch entstehende Motivationsschaden ist irreparabel. Fortan wird sich wohl kaum ein Mitarbeiter an der Verbesserung von Prozessen beteiligen, denn niemand hat ein Interesse daran, Beiträge dazu zu leisten, seine Kollegen oder gar sich selbst weg zu rationalisieren.

Verbesserung hinter dem Engpass kann zu Demotivation führen

Am Ende hat sich bei keinem der beiden skizzierten Wege etwas im Hinblick auf eine bessere Belieferung der Kunden geändert, denn durch die Orientierung an Kosten wurde der Durchsatz zum Kunden nicht oder allenfalls unmerklich erhöht. Folglich liegt die Lösung in einer Fokussierung des Themas Geschwindigkeit und damit in der konsequenten Ausrichtung aller Verbesserungsbemühungen auf den Engpass („Strang 4").

Die Lösung: Engpass leistungsfähiger machen

Wird der Engpass „verbreitert", löst sich die Blockade auf, die Bestände werden abgebaut, das Material (im Büro: die Information) fließt und wird in eine Art Takt gebracht. Mit Verbreiterung ist jedoch keinesfalls gemeint, am Engpass Personal aufzubauen. Vielmehr gilt es intelligente Lösungen zu finden, wie der Engpass leistungsfähiger gemacht werden kann. Im Ergebnis setzt das vorhandene Personal mehr durch, das heißt pro Zeiteinheit werden mehr Güter an Kunden ausgeliefert. Das Unternehmen wächst und kontinuierlich steigt die verdiente Menge Geld pro Zeiteinheit.

Vergleich aus dem Straßenverkehr

Mit Bezug zu unserem Beispiel aus dem Straßenverkehr: Unser Fokus liegt darauf, möglichst alle roten Ampeln abzubauen und in sicherer Fahrweise zügig ans Ziel zu gelangen.

Das klingt zu schön, um wahr zu sein? Oder zu abstrakt, um wirklich umsetzbar zu sein? Wenn Ihr Management verstanden hat, wo der Fokus der Verbesserungsbemühungen liegen sollte, ist die Frage nicht, ob dies der richtige Weg ist, sondern nur, wie eine passende Methode gefunden werden kann, um das Ziel zu erreichen. Lassen Sie uns vor dem Erarbeiten einer passenden Methode hier noch ein paar Gedanken anschließen:

Durchsatzerhöhung führt zu Kostensenkung, Kostensenkung aber nicht zu Durchsatzerhöhung

Als Nebeneffekt einer Geschwindigkeitsorientierung bzw. Durchsatzerhöhung sinken markanterweise die auf den einzelnen Auftrag bezogenen Kosten, denn wenn mit derselben Anzahl Mitarbeiter mehr Güter durchgesetzt werden, kostet das einzelne Produkt weniger in der Herstellung. Mit einer konsequenten Fokussierung des Themas Geschwindigkeit können also die Kosten (relativ) gesenkt werden, mit einer Kostenorientierung hingegen wird in der Regel nicht die Geschwindigkeit bzw. der Durchsatz gesteigert – es sei denn, man bearbeitet zufälligerweise doch den Engpass.

Weiterhin lohnt es, sich vor Augen führen, dass eine Verbesserung, die ausschließlich auf das (absolute) Einsparen von Kosten ausgerichtet ist, nur begrenzte Möglichkeiten bietet. Die Möglichkeiten, beim Material Kosten zu sparen, sind endlich und meist schnell erreicht. Unbestritten ist, dass sie ausgeschöpft werden sollten, sowohl vom Einkauf als auch in der Konstruktion bzw. der Grundlagenentwicklung – sofern der Aufwand im Verhältnis zum Nutzen steht.

Auch die Möglichkeiten, beim Personal Kosten zu sparen, sind in vielen Fällen recht schnell ausgeschöpft; für Großkonzerne mag dies partiell etwas anders aussehen. In jedem Fall ist in der Tendenz festzuhalten: Je mehr Mitarbeiter ein Unternehmen entlässt, desto weniger kann es langfristig durchsetzen. Mag das Unternehmen durch das Freisetzen von Personal vorübergehend seine Rendite verbessert haben, im Einzelfall durchaus auch nicht nur geringfügig, so doch oft um den Preis des mittelfristigen Wachstumspotenzials – und nicht selten auch um den Preis des Verlustes von individuellem Engagement und Know-how.

Trotz dieser Argumente verlagern viele Unternehmen Standorte ins Ausland. Vor dem Hintergrund marktstrategischer Entscheidungen kann ich dies im Einzelfall vollkommen nachvollziehen, ja würde dies sogar empfehlen, denn in vielen Branchen ist es von entscheidendem Vorteil, wenn Leistungen vor Ort erbracht werden können, sei es direkt beim Kunden oder zumindest in vertretbarer Nähe (in Dienstleitungsbereichen muss eine Vielzahl der Leistungen ohnehin direkt „am Kunden" erbracht werden). Wird die Entscheidung der Verlagerung von Standorten jedoch ausschließlich auf Grund zu hoher Kosten getroffen, erweist sie sich langfristig nicht selten als Fehlentscheidung, denn in zahlreichen Branchen ist eine Verlagerung der Produktion ins Ausland mit Einbußen beim Know-how und damit letztlich auch mit Einbußen bei der Qualität verbunden.

Marktsegmente, die mit Qualitätsprodukten besetzt sind, und in denen oft kundenspezifische Lösungen angeboten werden, sind mit einer Kostensenkungsstrategie nur in den seltensten Fällen zu halten. Und auch in Marktsegmenten mit ausgeprägtem Preisbewusstsein erweist sich die Produktion im Ausland unterm Strich nicht immer als günstiger – dies nicht zuletzt, weil sich der Umgang mit Mitarbeitern in einem anderen Kulturkreis auf ganz vielfältige Art und Weise oft schwieriger gestaltet als erwartet. Lediglich bei Produkten der Massenfertigung bestätigt sich wiederkehrend, dass der Gewinn mit der Verlagerung von Produktionsstätten in so genannte Billiglohnländer langfristig noch weiter zu steigern ist.

In den meisten Branchen ist es jedoch so, dass die Unternehmen, die – soweit wie dies im individuellen Umfeld vertretbar ist – auf deutsche Standorte setzen, also auf gut ausgebildetes Personal sowohl in den kaufmännischen und technischen Bereichen als auch in der Produktion, den Ansprüchen der Kunden fast immer besser gerecht werden. Um mit dieser Strategie dann noch profitabler zu sein als die Wettbewerber, müssen die Mitarbeiter bei mindestens gleichbleibender Qualität nur schneller werden, deutlich schneller. Schritt für Schritt.

Wer konsequent Prozesse verbessert, wird nicht enttäuscht

Die Unternehmen, die diesen Weg der Prozessorientierung konsequent gehen, werden nicht enttäuscht. Und gleichzeitig bauen sie dabei einen Wettbewerbsvorteil immer weiter aus, der in Jahrzehnten industrieller Evolution entstanden ist und der ihnen hilft, die Kostenvorteile von Produzenten in Billiglohnländern mehr als auszugleichen. In einem Unternehmen gelang es uns beispielsweise, die Umsatzrendite (EBIT) ausgehend von einem Wert leicht über dem Branchendurchschnitt durch konsequente Beseitigung aller Engpässe in nur fünf Jahren soweit zu steigern, wie es die Unternehmensleitung zu Beginn der Verbesserungsaktivitäten nicht für möglich gehalten hätte: Nach fünf Jahren wurde pro umgesetztem Euro mehr als siebenmal so viel verdient wie zuvor. Inklusive massiver Umsatzsteigerungen – weil die Produkte und Leistungen des Unternehmens wegen der sehr kurzen Lieferzeiten und der gleich bleibend hohen Qualität für Kunden immer attraktiver wurden – wurde der EBIT als absoluter Wert versechzehnfacht! In den darauf folgenden Jahren ging die Kurve sogar noch weiter nach oben. Und dies alles ohne eine einzige Entlassung. Ja, das klingt nach einer Ausnahme. Letztlich ist dieses Ergebnis aber nichts anderes als die logische Folge unermüdlicher und äußerst konsequenter Beseitigung von Engpässen – mit dem Konzept, dass ich in diesem Buch darstelle. In anderen Unternehmen kam es auch zu sehr ansehnlichen Ergebnissen.

Anmerken möchte ich an dieser Stelle, dass Engpässe selbstverständlich nicht nur im Gesamtprozess zu finden sind, sondern auch in jedem kleinen Teilprozess. Die in diesem Buch dargestellte Vorgehensweise wird Ihnen zeigen, wie Sie alle Engpässe in Ihrem Unternehmen finden und beheben können.

*Größte Poten-
ziale oft in den
Bürobereichen*

Und auch das sei angemerkt: Im Zuge meiner Tätigkeit habe ich bislang nur sehr wenige Industrieunternehmen gefunden, in denen der größte Engpass in der Produktion liegt. Zwar sind in Produktionshallen die Symptome meist am deutlichsten zu sehen, bei genauem Hinschauen ist es dann jedoch oft so, dass eine gute oder sogar sehr gute Produktion am Ende nicht herauszuholen vermag, was zuvor im Büro schief läuft. Entsprechend werde ich im Zuge meiner Ausführungen zur Verdeutlichung einzelner Aspekte oft auf Beispiele zurückgreifen, die das Verbesserungspotenzial von Büroabläufen verdeutlichen. So wird nicht nur die Bedeutung des Informationsflusses hervorgehoben; gleichzeitig wird auch das Potenzial der hier dargestellten Methode für Dienstleistungsunternehmen sichtbar.

Neben der gerade angesprochenen und weit verbreiteten Unterschätzung des Verbesserungspotenzials von Büroprozessen zeigt sich in der Praxis immer wieder auch, dass es kaum Sinn macht, Büro- und Produktionsbereiche gedanklich voneinander zu trennen, denn am Ende geht ein ineinandergreifender Fluss durch das gesamte Unternehmen: Jeder industrielle Geschäftsprozess beginnt mit Informationen, die sozusagen sukzessive zu Material werden, bis schließlich ein gebrauchsfertiges Produkt ausgeliefert werden kann. Daher werde ich parallel zu der Verdeutlichung, wie wichtig die Verbesserung des Informationsflusses ist, selbstverständlich auch auf alle wesentlichen Aspekte der Produktion und des Materialflusses eingehen.

4 In drei Schritten zum Erfolg

4.1 Die gedankliche Basis des Konzepts

Oft erlebe ich es, dass in einem ersten Gespräch mit der Unternehmensleitung Veränderung in einem großen Schritt gewünscht wird. Dabei geht es den Verantwortlichen primär nicht darum, alles tatsächlich in einem großen Schritt zu erreichen, sondern vielmehr darum, möglichst rasch möglichst viel Verbesserung zu erzielen.

Ernüchterung: Also meiner Erfahrung nach ist es so, dass es eine ganze Weile dauert, bis Dinge schief laufen, und so dauert es auch eine ganze Weile, die Dinge wieder in Ordnung zu bringen und das Unternehmen richtig fit zu machen.

Sicher, es gibt zahlreiche namhafte Unternehmensberatungen, die versprechen, mit einer – zumeist auch noch sehr kostspieligen – Hauruck-Aktion alles erreichen zu können. Weil diese Versprechen reizvoll sind, mündet der Verbesserungsbedarf vieler Unternehmen am Ende darein, dass namhafte Beratungsunternehmen hinzugezogen und Veränderungen der Aufbauorganisation erzielt werden – es wird umstrukturiert.

Umstrukturierungen oft fragwürdig

Mögen strukturelle Veränderungen im Einzelfall überfällig gewesen sein, so sind die Ergebnisse bei genauem Hinschauen doch überwiegend fragwürdig, denn meist wird lediglich ein gleich bleibendes Arbeitsvolumen auf weniger Schultern verteilt. Nebenbei bemerkt werden grotskerweise nicht die unproduktiven Stellen, wie zum Beispiel Controlling, reduziert, sondern produktive Mitarbeiter, die im Geschäftsprozess tätig sind.

Dem Personalabbau folgt in zahlreichen Fällen eine unternehmensweite Demotivation – und dies selbst dann, wenn es dem Management vorübergehend gelingt, eine Art Aufbruchstimmung zu verbreiten oder vereinzelt sogar Motivation entsteht, weil das individuelle Aufgabenspektrum um interessante

Teilaufgaben erweitert wurde. Jedoch sind auch diese seltenen positiven Effekte durch die dann höhere Arbeitsbelastung meist rasch aufgebraucht und nach kurzer Zeit steht das Unternehmen vermeintlich vor einem neuen Scherbenhaufen. Die Ursachen für die geringfügig anderen Probleme sind dann bei genauerem Hinsehen jedoch oft dieselben wie zuvor.

Dies vor Augen entscheiden sich immer mehr Firmenlenker und Anteilseigner dafür, von Anfang an etwas mehr Geduld mitzubringen und statt massiver Eingriffe in die Aufbauorganisation die Verbesserung von Arbeitsabläufen systematisch und Schritt für Schritt anzugehen.

Anmerkung: Auf die Handhabung des Themas Verbesserung in Krisensituationen und den Stellenwert von Umstrukturierungen in unternehmerischen Krisen gehe ich im Rahmen der 55 Fragen und Antworten ein.

Das Ziel meines Konzepts

Das Konzept, das ich zum Zweck kontinuierlicher Verbesserung seit Jahren mit Erfolg einsetze, umfasst drei Entwicklungsstufen (Level). Das Ziel des Konzepts besteht darin, dass Informationen in den Bürobereichen und Material in der Fertigung fließen:

- fehlerfrei,
- zum richtigen Zeitpunkt,
- in der richtigen Menge und
- an die richtige Person.

Bevor wir uns Schritt für Schritt anschauen, wie man dieses Ziel erreichen kann und wozu es führt, wenn wir dieses Ziel tatsächlich erreichen, lassen Sie uns den Gedankengang hier kurz unterbrechen und uns die Wirklichkeit bewusst machen:

Einschub zum Nachdenken

1) Wie häufig kommt es denn in der täglichen Arbeit vor, dass Informationen oder Material fehlerfrei, zum richtigen Zeitpunkt, in der richtigen Menge und an die richtige Person geliefert werden? Bei genauem Hinschauen ist es in vielen Unternehmen so, dass es für alle vier Punkte Verbesserungspotenzial gibt: Mal enthalten Informationen oder Teile Fehler, mal sind es zu wenig

und mal sind sie bereits geliefert, aber eben nicht an die richtige Person. Dabei ist für mich die – von den Mitarbeitern „gefühlte", aber leider nicht wirklich erfassbare – Anzahl von Rückfragen ein sehr wichtiger Indikator für das Verbesserungspotenzial von Prozessen. Eng damit verbunden sind das Suchen von Informationen, Material und Hilfsmitteln sowie „ruhende" beziehungsweise auf deren Weiterbearbeitung wartende Büro- und Produktionsvorgänge, die Bestände. Dies, soviel sei vorweg genommen, sind meiner Auffassung nach die wichtigsten Indikatoren von Prozessproblemen.

2) Bevor wir den oben begonnenen Gedanken weiterführen, sei an dieser Stelle noch eine weitere Aussage als gedankliche Anregung eingeschoben: In Verbesserungsprozessen, die bereits seit mehreren Jahren im Gange sind und bei denen in den Büro- und in den Produktionsbereichen die größten und offensichtlichsten Probleme beseitigt wurden, geht es überwiegend um die Verbesserung des Informationsflusses, denn dieser dominiert den Materialfluss: Wenn Informationen nicht fehlerfrei, zum richtigen Zeitpunkt und in der richtigen Menge an die richtige Person fließen, kann es das Material auch nicht.

Der Informationsfluss dominiert den Materialfluss

Zurück zu unserem Gedankengang: Wenn wir uns nun in diesem Sinne (fehlerfrei, richtiger Zeitpunkt, richtige Menge, richtige Person) verbessern, leisten wir mit jeder Verbesserung einen Beitrag zu mindestens einem der drei folgenden Ziele:

→ höhere Qualität,
→ kürzere individuelle Arbeitsabläufe,
→ kürzere Gesamtdurchlaufzeit.

Das Ziel eines Unternehmens: Geld verdienen

Und damit wird letztlich ein Beitrag zum Hauptziel des Unternehmens geleistet:

➡ Steigerung der Rendite!

Der Weg dahin: 3-Level-Modell

Der Weg dorthin ist das bereits angesprochene Drei-Level-Modell. Im ersten Schritt (Level 1) geht es um die Verbesserung der Selbstorganisation – jeder Mitarbeiter an seinem Arbeitsplatz. Im zweiten Schritt (Level 2) geht es um die Verbesserung des Informations- und Materialflusses in jeder Abteilung beziehungsweise in jedem abgrenzbaren Produktionsbereich. Im dritten Schritt (Level 3) geht es schließlich um die Verbesserung der Zusammenarbeit an den Schnittstellen. Man könnte auch sagen:

Level 1: nebeneinander,
Level 2: miteinander,
Level 3: füreinander.

3-Level-Modell als Rahmen für den Wandel der Unternehmenskultur

Dies deutet darauf hin, dass es mit dieser Vorgehensweise nicht nur darum geht, Verbesserung voranzutreiben, sondern einen Wandel der Unternehmenskultur herbeizuführen. Seien wir ehrlich; die meisten Unternehmenslenker wären doch schon froh, wenn ihre Mitarbeiter sich von einem Nebeneinander zu einem Miteinander entwickeln würden. Meiner Auffassung nach beginnt echte Prozesskultur jedoch erst dann, wenn die Mitarbeiter Spaß daran entwickeln, füreinander zu arbeiten. Fast jeder Mitarbeiter ist im Verlauf eines Geschäftsprozesses sowohl interner Kunde und dann, nach dem eigenen Bearbeitungsschritt auch interner Lieferant für den nächsten internen Kunden. Ein gesamter Geschäftsprozess funktioniert erst dann wirklich gut, wenn alle Mitarbeiter entlang des Prozesses sich nicht nur als Kunden mit bestimmten Ansprüchen sehen, sondern ebenso als Lieferanten mit einer ausgeprägten Dienstleistungsmentalität.

Um dies zu erreichen, gilt es, jeden Mitarbeiter von Beginn der Veränderungen an ins Boot zu holen. Entsprechend wird das Konzept, das ich hier vorstelle, von Beginn an in Workshops umgesetzt, die in der Einführungsphase jeweils zwei Arbeitstage umfassen, später größtenteils nur noch einen Tag oder sogar nur vier bis sechs Stunden. Wenn alle drei Level zur Prozessverbesserung eingeführt sind, wird mit allen drei Leveln gearbeitet – ganz im Sinne einer konventionellen kontinuierlichen Verbesserung wird also kein Level jemals abgeschlossen sein.

Kontinuierliche Verbesserung hört niemals auf

Dies sei hier so deutlich gesagt, weil in der Einführungsphase immer wieder mal die Frage gestellt wird, wie lange das „Verbesserungsprojekt" denn dauern würde; stets gibt es einige Mitarbeiter und Führungskräfte, denen es nicht behagt, einen Prozess zu beginnen, von dem nicht absehbar ist, dass er irgendwann einmal abgeschlossen sein wird.

An dieser Stelle möchte ich mir einmal kurz mit Ihnen anschauen, wie in vielen Unternehmen die Ausgangssituation für
Verbesserungsaktivitäten aussieht. Oft erlebe ich es, dass mich
entweder der Unternehmensleiter oder der „Qualitäter" zu einem Gespräch bittet, weil das Verbesserungswesen etwas breiter
aufgestellt oder systematisiert werden soll. Die Ausgangssituation ist dann meist so oder ähnlich:

1. Es gibt vielfach Unordnung an den Arbeitsplätzen.

2. Es gibt hohe Bestände – in nahezu allen Büro- und Produktionsbereichen. An vielen Stellen warten Informationen und
teilfertige Erzeugnisse lange auf ihre Weiterbearbeitung. Nicht
zuletzt dadurch gibt es auch viel Platzbedarf in nahezu allen
Büro-, Produktions- und Montagebereichen.

3. Individuell und von ganzen Arbeitsgruppen genutzte Ablagen
(im Büro: für Dateien, in der Produktion: für Werkzeuge) haben
oft eine mangelhafte Struktur.

4. In den Büros gibt es an zahlreichen Arbeitsplätzen und für fast
alle Abteilungen Doppelablagen; was in der EDV-Welt schon als
Datei bestand, wird oft auch noch ausgedruckt und den bestehenden Papierablagen zugeführt.

5. Es gibt zum Teil umständliche Abläufe beim Umrüsten von
Produktionsmaschinen und beim Montieren.

6. Das Zusammentragen von Informationen ist an vielen Stellen
sehr umständlich. Entscheidungen können daher oft nicht zum
passenden Zeitpunkt oder nur unter Zeitdruck gefällt werden.

7. Basierend auf einer ISO-Zertifizierung gibt es zwar Standards,
sie werden aber häufig nicht eingehalten. Viele Mitarbeiter sind
der Auffassung, ihre Berufserfahrung erlaube es ihnen, einen
eigenen Bearbeitungsstandard zu wählen.

8. An entscheidenden Stellen fehlen Standards. Die ISO-Anforde-
rungen legen sich wie ein Netz über jedes Unternehmen. Nun ist
jedoch jede Unternehmensorganisation eine ganz individuelle,
mit einer individuellen Aufbauorganisation, einer individuellen

Marktausrichtung, sich daraus ergebenden individuellen Erfordernissen hinsichtlich der Abläufe und vor allem einem jeweils ganz eigenen historischen Weg dorthin. Somit wird erneut deutlich, wie wichtig es ist, die Mitarbeiter mit einzubeziehen, wenn es um das Finden von Standards geht.

9. Schnittstellen sind oft schlecht gestaltet. Daraus folgend sind Teilprozesse schlecht aufeinander abgestimmt.

Aus alledem folgt, dass sich ein Unternehmen, in dem es aus Prozesssicht so oder ähnlich aussieht, eine Fülle von Engpässen selbst geschaffen hat und in der Konsequenz sowohl individuelle Bearbeitungszeiten als auch gesamte Durchlaufzeiten bei den meisten Prozessen wesentlich länger sind als notwendig.

Die genannten neun oft vorzufindenden Verbesserungspotenziale führen uns zu der Frage nach dem Verhältnis von Wertschöpfung und Verschwendung. Was in einem Prozess ist eigentlich Wert schöpfend? Nun, die Antwort ist einfach: Wert schöpfend ist, was der Kunde bereit ist zu bezahlen. Oder nochmals umgekehrt ausgedrückt: Verschwendung ist alles, was nicht Wert *Verschwendung* schöpfend ist. In Büro- und Produktionsbereichen gehören dazu:

- Suchzeiten
- Wartezeiten
- zu lange Wege
- unnötige Transporte
- Überproduktion
- hohe Bestände
- Nacharbeit, Reparaturkosten, Rückfragen
- ...

Die beiden meiner Erfahrung nach bedeutendsten Verschwendungsarten möchte ich hier nochmals genauer herausstellen: Suchzeiten und Bestände.

Suchzeiten Studien belegen, dass ein durchschnittlicher Büro-Mitarbeiter gut sechs Wochen pro Jahr mit dem Zusammentragen von Informationen verbringt. Führen wir uns dies einmal zahlenmäßig vor Augen: Bei einer Arbeitszeit von 8 Stunden täglich und einer 5-Tage-Woche summieren sich die Suchzeiten auf jährlich

240 Stunden pro Mitarbeiter. Bei einem Unternehmen mit nur 100 Angestellten sind wir bereits bei 24.000 Stunden pro Jahr, die nur dafür aufgewendet werden, Informationen zusammen zu tragen, die bei aufeinander abgestimmten Arbeitsabläufen vorliegen würden! In den Produktionsbereichen sieht es hinsichtlich der Suche nach Material und Werkzeugen oft kaum anders aus.

Angesichts dieser Zahlen hörte ich von einem Vorstandsvorsitzenden eines Maschinenbaukonzerns einmal: „Leute, wenn wir 6 Wochen pro Jahr mit Suchen verbringen und weitere 6 Wochen in Urlaub gehen, dann haben wir ja gerade einmal neun Monate im Jahr, um international wettbewerbsfähig zu bleiben. Wir brauchen exzellente Prozesse!"

Nun kann man Suchzeiten nicht auf Null reduzieren. Auch in einer gut strukturierten EDV-Ablage muss man sich noch ein wenig bis zum gesuchten Dokument durchhangeln – auch wenn man ganz genau weiß, wo sich dieses befindet. Ebenso in konventionellen Papier-Ablagen. Sicher, in einigen Unternehmen gibt es „Extremisten", die sich sogar ihre Türen vom Schrank abgeschraubt haben – „Türen auf und zu machen ist nicht Wert schöpfend" heißt es dort, zu Recht. Aber selbst wenn der Schrank nun näher am Arbeitsplatz steht als früher, sich keine Türen mehr zwischen Mitarbeiter und Ordner befinden, die Ordnerablage unmissverständlich strukturiert ist und jeder Ordner eine in sich eindeutige Gliederung und Ordnung aufweist: ein wenig Zeit kostet es immer noch, die gewünschte Information zu sichten. Ähnlich sieht es mit den Werkzeug- und Hilfsmittelablagen in der Produktion aus. Auf „Null" lassen sich die Suchzeiten also nicht reduzieren, jedoch lohnt es sich, konsequent daran zu arbeiten, Suchzeiten so weit wie möglich zu senken.

Bestände

Der zweite Begriff, der hier besondere Aufmerksamkeit erhalten soll, ist der Begriff „Bestände". Ein Stück weiter oben wurde angesprochen, wie wichtig es ist, dass die Abläufe in einem Unternehmen an Geschwindigkeit gewinnen. Klären wir also zunächst einmal, in welchem Verhältnis Bestände zur Durchlaufzeit stehen:

Die Durchlaufzeit bei einem Bearbeitungsschritt ergibt sich aus dem Verhältnis von Beständen zu der vorhandenen Bearbeitungskapazität.

Dazu ein Beispiel: Nehmen wir an, ein Mitarbeiter – irgendwo im Geschäftsprozess – verfügt über die Kapazität, um täglich zehn Vorgänge zu bearbeiten, vielleicht im industriellen Service-Geschäft oder in der Kreditabteilung einer Bank. Und täglich gelangen im Durchschnitt tatsächlich zehn Vorgänge auf seinen Schreibtisch. Nun hängt es von den Beständen ab, wie lange sein interner Kunde auf die Bearbeitung warten muss.

Wenn der Mitarbeiter zu Beginn seines Arbeitstages keinen Bestand hat, ist er im Normalfall in der Lage, die an diesem Arbeitstag bei ihm eintreffenden Vorgänge zu bearbeiten und weiter zu reichen. Die Durchlaufzeit beträgt einen Tag.

Wenn bei diesem Mitarbeiter jedoch die in vielen Büros üblichen Stapel unbearbeiteter Vorgänge liegen (nehmen wir mal an, es sind 50 unbearbeitete Vorgänge), dann liegen wir schon bei einer Durchlaufzeit von einer Woche.

Hohe Bestände ⟹ hohe Durchlaufzeit

1. Möglichkeit: Er hat zu Beginn jedes Arbeitstags keinen Bestand

10 ⟹   ⟹ 10   Durchlaufzeit: 1 Arbeitstag

2. Möglichkeit: Er hat zu Beginn des Arbeitstags einen Bestand von 50 unbearbeiteten Vorgängen

10 ⟹   ⟹ 10   Durchlaufzeit: 1 Arbeitswoche

➡ Je niedriger der Bestand ist, desto schneller wird der Kunde bedient – intern wie extern.

Gehen wir nun davon aus, ein Vorgang muss nicht nur durch eine Abteilung, um den (externen) Kunden zufrieden zu stellen, sondern durch – sagen wir einmal – vier Abteilungen, dann haben wir hier eine Gesamtdurchlaufzeit von vier Wochen. Würden sich keine Bestände ansammeln, wären es lediglich vier Tage!

Durch wie viele funktionelle Bearbeitungsschritte muss ein Auftrag in Ihrem Unternehmen, bevor der Kunde bezahlt? – In überschaubaren, mittelständisch geprägten Strukturen sind es meistens gut 10, in Großunternehmen oft bis zu 50!

10 Tage vs. 10 Wochen

Damit gelangen wir zu der folgenden Erkenntnis: Eine signifikante Verbesserung des Gesamtprozesses ist oft nicht durch ausschließliche Verbesserungen bei den einzelnen Bearbeitungsschritten zu erreichen, sondern erst durch das Aufeinanderabstimmen der Teilprozesse – und zwar so, dass sich Bestände möglichst überhaupt nicht erst aufbauen, denn je niedriger die Bestände sind, desto schneller kann der (interne und externe) Kunde bedient werden. Und: In vielen Branchen, insbesondere im Investitionsgütergeschäft, ist Geschwindigkeit ein echter Wettbewerbsvorteil. Wenn ich zu gleicher Qualität schneller liefern kann als die Konkurrenz, dann kann ich auch mehr Geld für mein Produkt verlangen!

Geschwindigkeit als zentraler Wettbewerbsvorteil

Oder für preisbewusste Branchen der Serienfertigung formuliert: Wenn es mir gelingt, mit der gleichen Mannschaft mehr Produkte pro Zeiteinheit herzustellen, wird das einzelne Produkt günstiger. Dieser Kostenvorteil macht mich wettbewerbsfähiger.

Schauen wir uns nun an, wie die einzelnen Ebenen der Verbesserung aussehen.

4.2 Das 3-Level-Konzept

Der erste Schritt – Level 1

Level 1: Produktivität am Arbeitsplatz

Der erste Schritt steht ganz im Zeichen der Erhöhung individueller Produktivität. Gruppenprozesse oder gar Schnittstellen werden noch nicht betrachtet. Um die individuelle Produktivität soweit wie möglich zu erhöhen, besteht die Zielsetzung im ersten Schritt des 3-Level-Konzepts darin, die Suchzeiten zu verringern. Oberflächlich gesehen geht es dabei schlicht um das Aufräumen des eigenen Arbeitsplatzes und das gegebenenfalls neue bzw. ergonomische Anordnen der Arbeitsmittel. Tatsächlich soll mit der Einführung von Level 1 jedoch wesentlich mehr erreicht werden als mit einer „Aktion Schöner Wohnen". Es soll

eine Basis für die Verbesserung des Informations- und Materialflusses geschaffen werden.

In Büros, in denen nach der Einführung von Level 1 beispielsweise immer noch mobile Stell- bzw. Trennwände zu finden sind,
ist das Ziel von Level 1 noch nicht erreicht. Trennwände fördern
das Denken in „Ab-Teilungen". Genau diese Denkweise gilt es
jedoch aufzubrechen. Ein Unternehmensbereich, in dem schon
die Büros ausstrahlen, dass die Menschen nicht wirklich miteinander reden, kann sich nicht in die richtige Richtung entwickeln.
Folglich geht es mit Level 1 darum, dass die Mitarbeiter ein
Bewusstsein dafür erlangen, wie wichtig es ist, dass sie ihren Ar-

Individuelle Ord-
nung als Basis
funktionieren-
der Prozesse

beitsplatz so gestalten, dass sie optimal arbeiten können. Nur so
können Informationen und Material fließen, möglichst fehlerfrei,
zum richtigen Zeitpunkt, in der richtigen Menge, an die richtige
Person.

Mitarbeiter an solchen Arbeitsplätzen brauchen Hilfe!

Selbst erfahrene Berater sind immer wieder davon beeindruckt,
dass mehrere Tonnen Altpapier, Hunderte wenn nicht sogar
mehrere Tausend wieder verwertbare Ordner und enorme Mengen an Büromaterial von Mitarbeitern gehortet werden – ganz
zu schweigen von dem frei werdenden Speicherplatz, nachdem
alle PC-Laufwerke von überflüssig gewordenen Dateien befreit

wurden. Die hier genannten Größenordnungen beziehen sich auf Unternehmen oder Unternehmensbereiche ab 50 Mitarbeitern.

Mit der Einführung von Level 1 werden Ordner und Büromaterial abteilungs- oder unternehmensbereichsweise zentral verwaltet und erst bei wirklichem Bedarf an den Mitarbeiter ausgegeben. Dabei wird einem Mitarbeiter die Verantwortung übertragen, die ständige Verfügbarkeit der verwalteten Utensilien sicherzustellen. Büromaterial muss nach der Einführung von Level 1 meist monatelang nicht nachbestellt werden; die Suchzeiten verringen sich erheblich – oft um mehr als eine Arbeitswoche pro Jahr. Dies ist der Zeitpunkt, an dem auch erste Controller überzeugt werden können, die Personengruppe, die in den meisten Unternehmen sehr ausdauernd Skepsis zeigt.

Auch die Ergebnisse von Level 1 in Produktionsbereichen können sich sehen lassen. In einem Unternehmen mit ungefähr 160 Produktionsmitarbeitern haben wir einmal über 100 überflüssige Möbelstücke, sage und schreibe 250 Tonnen Schrott sowie Tausende alter Ordner und zig Tonnen Papier entsorgt. Dabei wurden auch ganze Werkzeugmaschinen abgebaut, die durch stetige Modernisierung des Maschinenparks bereits über Jahre hinweg nicht mehr genutzt wurden. Vor der Einführung des Verbesserungsprogramms kam es niemandem in den Sinn, den Platz anderweitig zu nutzen, beispielsweise für eine Verbesserung des Materialflusses.

Der zweite Schritt – Level 2

Level 2: Abteilungsinterne Standards

Aufbauend auf der Verbesserung der Selbstorganisation folgt im Rahmen des zweiten Schritts das konsequente Erarbeiten von Standards beziehungsweise das Überarbeiten bestehender Standards. Entgegen der Befürchtung mancher Mitarbeiter, geht es in diesem Schritt nicht darum, individuelle Arbeitsweisen schablonenhaft aneinander anzugleichen bis jegliche Kreativität erstickt ist. Lediglich der Austausch und das Ablegen von Informationen und Material sollen standardisiert werden. Am häufigsten betrifft dies gemeinsam genutzte Akten- und EDV-Ablagen sowie gemeinsam genutztes Werkzeug und Hilfsmittel. Diese sind in vielen Fällen die Basis eines funktionierenden

Informations- bzw. Materialflusses. Im Folgenden möchte ich vier Arten von Standards unterscheiden:

1. Ablagestandards, Arbeitsplatzstandards/Arbeitsumgebung

Einer der größten Handlungsbedarfe besteht beim Thema Ablage. In Produktionsbereichen ist dies stets ein Thema, in Bürobereichen ist Ablage DAS Thema. Bei gemeinsam genutzten EDV-Laufwerken und von der gesamten Abteilung genutzten Aktenablagen leuchtet der Nutzen eines Ablagestandards den Beteiligten meist sofort ein. Bei vermeintlich ausschließlich individuell genutzten Ablagen trifft man hingegen oft auf Widerstand. Jedoch ist das Problem bei diesen Ablagen dasselbe, denn spätestens zur Urlaubszeit, bei Dienstreisen oder ungeplanten Fehlzeiten eines Mitarbeiters muss sich ein Kollege in dessen Ablage zurechtfinden, um dem Wunsch des (internen oder externen) Kunden nach Abarbeitung eines bestimmten Vorgangs entsprechen zu können – vorausgesetzt ein Stellvertreter ist überhaupt benannt, was ja oft auch nicht selbstverständlich ist.

Wenn für den Stellvertreter jetzt absehbar ist, dass er unverhältnismäßig viel Zeit für die Suche nach Informationen aufwenden muss, schiebt er Anfragen externer oder interner Kunden meist mit Verweis auf die Abwesenheit des Kollegen und der Bitte um Geduld bis zu dessen Rückkehr beiseite – mit der Konsequenz, dass der Prozess ruht. Dies ist menschlich, für den Prozess jedoch katastrophal.

Wenn wir uns nun vorstellen, wir sind der externe Kunde, und wir haben die Wahl zwischen einem Unternehmen, bei dem wir immer kompetent Auskunft zu unserem Projekt erhalten, das zudem noch auffallend rasch bearbeitet wird und einem anderen Unternehmen, bei dem es an mehreren Stellen im Projekt geschieht, das eine Auskunft nicht gegeben werden kann und das zudem noch langsamer ist, braucht kaum herausgestellt zu werden, welchen Wert Standardisierung hat – unabhängig davon, ob es sich um die Kreditabteilung eines regional agierenden Kreditinstitutes handelt oder um eine Projektabteilung eines international agierenden Anlagenbauers.

Ablagestandards:
Informationen, Hilfsmittel, Werkzeug, Werkstücke

Das Erstellen von Ablagestandards kann eine weitgehend beherrschbare Aufgabe sein, wenn es um Abteilungsstandards geht. Manche Unternehmen bemühen sich um unternehmensweit einheitliche Standards. Für allgemein genutzte EDV-Ablagen ist dies sicher sinnvoll. Und wenn die Unternehmenskultur es hergibt, hat man viele Vorteile von unternehmensweit einheitlich gelebten Ablagestandards. Zu sehr ins Detail getrieben läuft man bei einem solchen Vorhaben jedoch Gefahr, Lösungen zu finden, die für viele Abteilungen suboptimal sind. Hinzu kommt, dass es schon innerhalb einer Abteilung genug der Herausforderung ist, eine einheitliche Ablagestruktur zu entwickeln, die zu den Arbeitsanforderungen der Abteilung passt, die von allen Mitarbeitern akzeptiert und gelebt wird und die sowohl in der konventionellen Papier-Ablage als auch in den EDV-Systemen einheitlich umgesetzt werden kann.

Konsens ist wichtig

Gerade bei der Standardisierung von EDV-Ablagen ranken sich Diskussionen durchaus um vermeintlich unwichtige Detailfragen der Dokumentbenennung. Aber auch bei dieser Frage ist es notwendig, einen Konsens zu finden, denn es ist wenig gewonnen, wenn jeder Mitarbeiter der Abteilung innerhalb einer gemeinsam festgelegten Ablagestruktur Dokumente nach eigenem

Dafürhalten benennt und so anderen Mitarbeitern das Auffinden derselben erschwert.

In den Produktionsbereichen geht es in der Regel etwas weniger politisch zu. Hier wird weniger diskutiert und eher angepackt. Man macht sich bewusst, wie Werkzeug und Material abgelegt und Material auftragsbezogen angeordnet werden muss, damit es schnell gefunden bzw. der Weiterverarbeitung zugeführt werden kann.

2. Arbeits- und Ablaufstandards

Als Ausgangssituation finde ich oft ein uneinheitliches Vorgehen vieler, wenn nicht sogar aller Mitarbeiter einer Abteilung vor. Dies wiederum ist eine Quelle von unzähligen Fehlern und führt zu hohem Abstimmungsbedarf.

„Ich arbeit' schon 20 Jahr' hierdrin. Ich weiß wie's läuft!" Solche oder ähnliche Zitate höre ich zu Beginn in vielen Unternehmen. Mag sein, dass der Mitarbeiter tatsächlich weiß, „wie's läuft". Jedoch sollte er dann auch seine Kollegen an seinem Wissen teil haben lassen. Und gemeinsam sollten sie einen Standard entwickeln, damit alle wissen, wie's läuft und weniger Fehler gemacht werden (können).

Stellen wir uns nur mal vor, wir wären der interne Kunde eines Bereichs mit uneinheitlichem Vorgehen. Es wäre nicht geregelt, wer aus der „Lieferantenabteilung" wem in unserer Abteilung zuarbeitet und jeder Lieferant hätte eine mehr oder weniger individuelle Art, Informationen aufzubereiten. Wenn wir uns je nach Lieferant jedes Mal auf das Sichten der relevanten Informationen einstellen müssen und diese nicht standardisiert und damit rasch erfassbar sind, kostet uns das in jedem Einzelfall unnötig Zeit.

Standards möglichst unter Einbindung aller Betroffenen erarbeiten

Die Herausforderung in dieser Kategorie liegt also darin, abteilungsweit einheitliche Vorgehensweisen zu schaffen – möglichst unter Einbindung aller Mitarbeiter. Zumindest sollte jeder grundsätzlich die Möglichkeit haben, sich einzubringen. Dies schafft ein Wir-Gefühl und Motivation, vor allem schafft es jedoch Sicherheit im Ablauf und verringert die Fehlermöglichkeiten. Jeder weiß genau, WAS er WIE und WANN zu tun hat. Dies betrifft jegliche Form von Arbeitsabläufen, zum Beispiel zeitlich aufeinander folgende Punkte, die mit einer Checkliste oder einer Verfahrensanweisung in den Griff zu bekommen sind. Ein weiteres Beispiel wäre das Erarbeiten von Kriterien für das Bewerten bestimmter Gegebenheiten und der daraus folgenden Möglichkeit, künftig situationsgerecht nach einheitlichen Kriterien zu entscheiden. Beispiele aus der Produktion wären das Umrüsten von Produktionsmaschinen, das Fertigen von Einzelteilen, das Montieren oder Abläufe der Qualitätsprüfung.

3. Informations- und Kommunikationsstandards

Bei Informations- und Kommunikationsstandards geht es um die Verfügbarkeit und den Fluss von Informationen. Oft hilft ein Beispiel, wenn etwas anschaulich gemacht werden soll:

Beispiel:
Checkliste

In der Vertriebsabteilung eines Investitionsgüterherstellers wurde eine Checkliste erarbeitet, die es den Mitarbeitern erlaubt, jede Anfrage zu bewerten – zum einen nach der Wahrscheinlichkeit, mit der diese Anfrage später zum Auftrag wird und zum anderen nach dem mit einem potenziellen Auftrag verbundenen wirtschaftlichen Risiko für das Unternehmen. Mit Blick auf Informationsstandards ist dieses Beispiel interessant, weil der Stand jeder Checkliste von jedem Mitarbeiter der Abteilung einsehbar ist. So kann stets auf Basis der aktuell verfügbaren Informationen auch in Abwesenheit des verantwortlichen Kollegen entschieden werden, ob es sich lohnt, an diesem Projekt weiter zu arbeiten; Rückfragen sind überflüssig. An diesem Beispiel wird auch deutlich, dass die verschiedenen Kategorien von Standards nahtlos ineinander greifen: Das entsprechende Dokument ist auffindbar abgelegt, es ermöglicht das Sichten aller relevanten Informationen und schließlich kann man das entsprechende Projekt im Sinne eines funktionierenden Arbeits- und Ablaufstandards weiterbearbeiten.

Ein weiteres Beispiel für einen Informationsstandard wäre die Darstellung des Bearbeitungsstandes einer bestimmten Verbesserungsmaßnahme. Auch durch diesen Informationsstandard werden Rückfragen minimiert und Informationen für alle zugänglich.

Ein Beispiel für Kommunikationsstandards wäre der Ablauf von Besprechungen. In vielen Unternehmen gibt es vor Besprechungen keine Tagesordnung und für die Beteiligten ist nach der Besprechung oft nicht klar, wer welche Aufgaben bis wann zu erledigen hat. Bei den Besprechungen selbst ist der Zeitaufwand für das Finden von Entscheidungen sehr hoch. Dabei liegt die Lösung auf der Hand: das Finden eines Besprechungsstandards.

Beispiel: Besprechungsstandard

Zunächst muss entschieden werden, ob die Besprechung regelmäßig oder anlassbedingt durchgeführt werden soll. Ein abteilungsinternes Update sollte beispielsweise wöchentlich, eine Managementrunde eines Unternehmensstandortes eher monatlich und ein Kranken-Rückkehr-Gespräch eindeutig anlassbedingt durchgeführt werden. In jedem Fall sollte im Vorfeld schriftlich eine Tagesordnung festgelegt sein. Bei regelmäßig durchgeführten Besprechungen sollte ein vorher festgelegter Moderator (aus dem Teilnehmerkreis) durch die Besprechung führen, und es sollte ein Protokoll angefertigt werden. Der erste Tagesordnungspunkt der nächsten Sitzung sollte lauten „Offene Punkte aus der vorherigen Sitzung". Damit wäre die konsequente Nachverfolgung aller relevanten Projekte gesichert.

Im Ergebnis ist der Ablauf der Besprechung reibungsfreier als ohne diese Strukturiertheit. Es gibt Klarheit darüber, wer nach der Besprechung was bis wann zu tun hat und der Zeitaufwand für die Besprechung wird drastisch reduziert. Als Beispiel: Die monatlichen Management-Runden eines Industrieunternehmens konnten von zirka fünf Stunden auf zweieinhalb Stunden reduziert werden – bei gleicher personeller Besetzung und gleichem Informationsgehalt.

4. Service-Standards

Service-Standards sind bereits der schleichende Übergang zu Level 3. Bei Service-Standards steht nicht mehr nur die möglichst reibungsfreie Arbeit innerhalb der Abteilung im Vordergrund, sondern der (interne oder externe) Kunde, für den entweder die Leistung oder die Verfügbarkeit verbessert wird. Auch hier sei zur Verdeutlichung ein Beispiel dargestellt:

Eine Mitarbeiterin im Projekt-Management eines Investitions-güterherstellers hatte sich dazu entschieden, es statt mit einem konventionellen Telefon mit einem Head-Set zu versuchen, denn so würde sie während der Telefonate beide Hände zum Weiter-arbeiten verfügbar zu haben. Nebenbei versprach die Benutzung eines Head-Sets weniger Nackenschmerzen, weil das Einklem-men des Telefonhörers während der vielen täglichen Telefonate entfallen würde. Kaum war das Hilfsmittel angeschafft, rief der erste (in diesem Fall externe) Kunde an. Er wollte eine mit einer Unterschrift versehene Unterlage zugesandt bekommen, die bereits in den Auftragsunterlagen existierte. Noch während die Mitarbeiterin mit diesem Kunden am Telefon weitere Einzelhei-ten zum Auftrag klärte, holte sie die Unterlage aus einem ihrer gut sortierten Ordner und faxte ihm das gewünschte Dokument. Der Kunde war begeistert, denn kaum hatte er seine Anforde-rung ausgesprochen, hielt er die gewünschte Unterlage auch schon in seinen Händen. Seine unmittelbar folgende Anerken-nung gegenüber der Projekt-Managerin: „Wenn alle so arbeiten würden wie Sie, würde sich die Arbeitswelt runder drehen!"

Dies sind die Momente, in denen die Mitarbeiter verstehen, dass sie die Verbesserungen nicht nur für das Unternehmen, sondern ganz eindeutig auch für sich selbst erzielen. Sicher, die gestei-gerte Flexibilität kommt dem Kunden und dem Unternehmen zugute – aber nicht minder auch dem Mitarbeiter. Als Mitarbei-ter muss ich mir doch die Frage stellen, wann ich mich bei der Arbeit wohl fühle? Sicher nicht, wenn mich der interne oder externe Kunde oder mein eigener Vorgesetzter ständig fragen: „Wo bleibt denn …? Wann bekomme ich …? Wie steht es mit …? Haben Sie schon ...? Wo finde ich ...?". Spaß an der Arbeit hat man, wenn man erfolgreich ist – und als Anhaltspunkt dafür gibt es sicher nichts Schöneres als positive Rückmeldungen.

Zufriedene Kun-den führen zu Motivation

Dies ist der Punkt, an dem viele Mitarbeiter echte Begeisterung für den Veränderungsprozess entwickeln. Zu dem Erleben von Erfolg kommt natürlich hinzu, dass das Arbeiten in einem Prozess, in dem es einfach „flutscht", in dem kaum noch Zeit mit unnötigen Tätigkeiten verschwendet wird und in dem schritt-weise die kleineren und größeren Engpässe beseitigt werden, einfach angenehmer ist.

Der dritte Schritt – Level 3

Level 3:
Schnittstellen

Sind erste Standards auf Abteilungsebene gefunden und haben alle Abteilungen mindestens einen ersten Level 2-Workshop durchgeführt, werden zusätzlich die Schnittstellen in Angriff genommen. Dabei steht die Verbesserung nun ganz im Zeichen einer systematischen Ausrichtung aller Aktivitäten auf den internen und letztlich auf den externen Kunden.

Level 3 in zwei
Phasen

Das Finden kundenorientierter Abläufe ist dabei im Grunde ganz einfach: Als Lieferant von Informationen oder Material muss man sich lediglich systematisch auf die Wünsche des (internen oder externen) Kunden einstellen. Dazu muss der Kunde wiederum verdeutlichen, was er wann und in welcher Form von seinem (internen) Lieferanten haben möchte. Der institutionelle Rahmen für diese Abstimmung ist ein Zwei-Phasen-Modell. In diesen zwei aufeinander folgenden Phasen werden – zunächst im Groben, dann im Feinen – systematisch alle Schnittstellen zwischen (internen) Lieferanten und (internen) Kunden optimiert, so dass Informationen und Material in einen Fluss gebracht werden. Schrittweise wird so das Denken in „Ab-Teilungen" unstatthaft gemacht; virtuelle Mauern zwischen den Abteilungen werden abgebaut.

Phase 1

In Phase 1 von Level 3 besteht der erste Schritt darin, einen gesamten Geschäftsprozess auszuwählen, der analysiert werden soll. Ist dieser gefunden, wird ein Workshop anberaumt, in dem die Teilnehmer diesen Prozess mit Unterstützung eines Moderators darstellen, Problemfelder transparent machen, diese Problemfelder nach Aufwand und Nutzen bewerten und schließlich einen Jahresplan für die Bearbeitung dieser Problemfelder ausarbeiten. Mit diesem ersten Schritt werden alle großen Probleme des Unternehmens transparent. Diese Probleme sind nicht selten weit über das Unternehmen verzweigt. Daher nenne ich diese Phase „Verzweigte Probleme". Auf die einzelnen Workshop-Phasen gehe ich weiter unten noch im Detail ein.

Die Teilnehmer
des Workshops
sind die „Be-
scheidwisser"

Die Teilnehmer eines solchen Workshops sind die Mitarbeiter, die täglich mit den Anforderungen des zu verbessernden Prozesses zu tun haben und daher am besten darüber Bescheid wissen, was alles verbessert werden sollte. Von diesen „Bescheidwissern" sollte möglichst aus jeder betroffenen Abteilung einer teilnehmen.

Phase 1: Verzweigte Probleme

Sind mit der Analyse des Gesamtprozesses die Themenfelder gefunden, die dem Unternehmen Schwierigkeiten bereiten, werden die Teilnehmergruppen für die dann folgenden Workshops festgelegt. Die Teilnehmer dieser Workshops werden von der Abteilung bestimmt, die den größten Nutzen von dem jeweiligen Workshop hat, dem „internen Kunden" dieses Workshops.

Stehen die Workshops und die Teilnehmer fest, geht es an die eigentliche Arbeit. Dabei läuft jeder Workshop nach demselben Muster des Workshops ab, mit dem die zu bearbeitenden Themen gefunden wurden. Jedoch wird die Vorgehensweise um einen Punkt ergänzt: das Lösen der Probleme. Jedes Problem wird systematisch angegangen, durch Problembeschreibung, Ursachenbenennung, Ausarbeitung eines Lösungsvorschlags und Umsetzung der Lösung. Kommen wir nun zum detaillierten Ablauf eines Level 3-Workshops:

0. (Vor dem eigentlichen Workshop) Prozessdaten erheben: Mit Beginn des Workshops sollten die Teilnehmer aus ihrem jeweiligen Bereich prozessrelevante Daten zur Verfügung haben, mindestens jedoch eine Aussage dazu machen können, wie lange sie für ihren Arbeitsschritt benötigen (Bearbeitungszeit) und wie lange ein Vorgang im Durchschnitt bei ihnen auf die Bearbeitung „wartet" (Liegezeit). In Produktionsbereichen ist dies tendenziell einfach auszuwerten. In Bürobereichen ist dies

üblicherweise nicht elektronisch erfassbar. Daher lohnt es sich, über einen gewissen Zeitraum E-Mails auszuwerten, sprich: für jede E-Mail in einer Tabelle beispielsweise halbtagesgenau die Zeit zwischen Eingangsdatum und Beginn der Bearbeitung zu erfassen. Entsprechend ist mit Post und Hauspost zu verfahren.

Diesen Schritt empfehle ich in Unternehmen, die sich schwer damit tun, gänzlich auf Zahlen im Verbesserungsprozess zu verzichten. Diese Vor-Erhebung kann helfen, nachzuverfolgen, wie sich das Unternehmen verbessert. Sie kann aber auch einer unproduktiven Zahlenzählerei Tür und Tor öffnen. So muss sich jedes Unternehmen selbst einschätzen, wie es im Rahmen eines Verbesserungsprozesses mit dem Thema Zahlen und Controlling umgehen möchte. Weiter unten komme ich auf dieses Thema noch einmal zurück.

Abgrenzen des Prozesses

1. Abgrenzen des Prozesses: Von wo bis wo möchten wir den Prozess betrachten? Vom Eingang des Kreditantrags bis zu dessen Bewilligung oder Ablehnung? Oder sollen auch die Beratungsgespräche der Kundenberater mit einbezogen werden? Von der Übergabe eines Auftrags seitens des Vertriebs an das Projekt-Management bis zur Inbetriebnahme einer Anlage? Oder wollen wir auch die Vertriebsphase mit betrachten? Oder wollen wir gar nicht so weit schauen und nur bis zur Einbindung des Einkaufs, des Wareneingangs, der Fertigung blicken?

Je nach Ausrichtung des Workshops wird dies mit Sinn und Verstand festgelegt; manchmal sind auch nur sehr wenige Abteilungen betroffen, beispielsweise Fertigung/Logistik/Montage. In der Regel ergibt sich die „Reichweite" des Workshops aus seiner Bezeichnung, zum Beispiel „Materialfluss von der Fertigung zur Montage". Präzise sollte das Thema jedoch spätestens während eines kurzen Vorgesprächs festgelegt werden.

Ziele festlegen

2. Ziele festlegen: Was möchten wir erreichen? Ein Ziel könnte es zum Beispiel sein, Rückfragen und damit letztlich Nacharbeit zu minimieren. Ein anderes, die Bearbeitungszeiten oder/und die Liegezeiten zu verringern und so den Durchsatz zum Kunden zu erhöhen. Weit verbreitet ist in diesem Zusammenhang der Wunsch, Ziele in Zahlen festzuschreiben. Erfahrungsgemäß macht dies jedoch nur in wenigen Fällen Sinn – am meisten wohl

bei industriellen Serienprozessen. Die Frage, wie viel Controlling notwendig und sinnvoll ist, greife ich – wie schon angedeutet – weiter unten nochmals auf.

*Prozess
darstellen*

3. Prozess auf Metaplanwänden darstellen (Prozess-Mapping): Die Leitfrage lautet: „Wer macht was?" Von oben nach unten werden auf großen Post-it-Zetteln schrittweise die teilnehmenden Abteilungen aufgelistet (Wer). Von links nach rechts werden die jeweiligen Tätigkeiten aufgeführt (Was). Wenn dies mit Blick auf die Analyse des Prozesses sinnvoll ist, werden bei dieser Erhebung des Ist-Zustands Bearbeitungszeiten und Liegezeiten der sich im Prozess befindenden Informationen und Materialien erfasst.

Prozess „mappen" und Problemfelder markieren

Problem markieren und benennen

4. Probleme markieren und am Flip-Chart kurz benennen: Im Anschluss an die Darstellung des Prozesses oder durchaus auch parallel zu der Darstellung des Prozesses benennen die Teilnehmer aus dem Bauch heraus die Problemfelder, die mit einem roten Zettel oder einem Blitz gekennzeichnet, nummeriert und in fortlaufender Nummer mit wenigen Worten auf einem Flip-Chart möglichst genau beschrieben werden. Liegen Zweifel vor, ob die gefundenen Problemfelder die tatsächlichen Probleme sind, geht die Gruppe kurz vor Ort und läuft diesen Teilprozess Schritt für Schritt ab. Im Kaizen wird dies auch Gemba-Kaizen genannt (Japanisch „Gemba" = der Ort des Geschehens).

Beim kurzen Benennen der Probleme am Flip-Chart ist es wichtig, die Probleme wirklich nur zu benennen und nicht Ziele zu formulieren oder gar vermeintliche Lösungen aufzuschreiben. Ebenso wichtig ist es, darauf zu achten, dass die Probleme so benannt werden, dass man auch nach drei Monaten noch weiß, was das benannte Problem umfasst. Ich habe es schon beobachtet, dass die Beteiligten bereits wenige Stunden nach der Problembenennung während des nächsten Arbeitsschrittes (5.) erneut diskutierten, weil sie wegen einer zu unpräzisen Benennung nicht mehr genau wussten, was gemeint war. Beispielsweise ist „Informationen nicht rechtzeitig verfügbar" als Problembeschreibung viel zu ungenau, denn bei der Dichte der Themen, die im Verlauf eines Workshops diskutiert werden, weiß bereits nach kurzer Zeit kaum noch einer, um welche Informationen es sich genau handelt und wer die betroffenen Bereiche sind – selbst wenn im Moment der Diskussion während des Workshops bei den Teilnehmern Einigkeit und Klarheit darüber vorherrscht, was gemeint ist.

Über die Jahre habe ich die Erfahrung gemacht, dass es sinnvoll ist, die Schritte 3 und 4 – wie schon angedeutet – zusammenzufassen, denn oft ist den Teilnehmern nach stundenlangem Darstellen des Prozesses und den damit einhergehenden Diskussionen, welcher Arbeitsschritt denn auf welchen folgt (Wer macht was?), nicht mehr in Erinnerung, an welchen Stellen es Probleme, Unklarheiten oder Meinungsverschiedenheiten gab. Jedoch erfordert das Zusammenlegen der beiden Schritte *Höchste Anforderungen an den Moderator* höchste Aufmerksamkeit vom Moderator, der dann zwischen zwei Aufgaben sozusagen hin und her springen muss, nämlich dem Vorantreiben der Prozessdarstellung einerseits und dem aufmerksamen Zuhören andererseits, ob und wo es Unklarheiten und Verbesserungsbedarfe im Prozess gibt. Das erfordert einiges an Erfahrung.

Probleme nach Aufwand und Nutzen bewerten 5. Probleme nach Aufwand und Nutzen bewerten: Ist die Liste der Prozessprobleme am Flip-Chart geschrieben, gilt es, die Probleme nach Aufwand und Nutzen zu bewerten. Auf eine päpstlich genaue Bewertung wird dabei verzichtet. Unter Begleitung des Moderators entscheiden die Teilnehmer entweder nach dem Verhältnis von Liege- und Bearbeitungszeiten oder schlicht im Rahmen einer kurzen Diskussion, wie viel Nutzen und wie viel

Aufwand von der Lösung eines bestimmten Problems zu erwarten ist. Dabei wird dem internen Kunden verständlicherweise besonders gut zugehört.

In der Praxis fragt der Moderator die Teilnehmer anhand eines Nutzen-Aufwand-Charts zunächst, wie sie den Nutzen für das Unternehmen einschätzen, wenn ein bestimmtes Problem behoben wäre. Dann fragt er die Teilnehmer, wie hoch sie den Aufwand für das Beheben dieses Problems einschätzen. Das Ergebnis der Bewertung wird im Chart vermerkt. So kommen die Teilnehmer Schritt für Schritt zu einem Gesamtüberblick über Nutzen und Aufwand aller gefundenen Problemfelder.

Probleme nach Aufwand und Nutzen bewerten

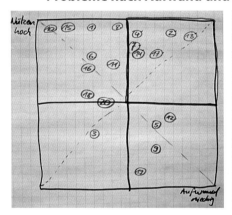 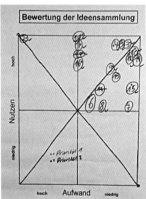

Die Probleme mit hohem Nutzen und geringem Aufwand werden vorrangig bearbeitet. Dann werden die Probleme mit hohem Nutzen und hohem Aufwand in Angriff genommen und schließlich auch noch die Probleme, die zwar wenig Nutzen mit sich bringen, deren Behebung aber auch nur wenig Aufwand verursacht. Interessanterweise ist es oft der Fall, dass eine Vielzahl von Problemen gefunden wird, für deren Lösung der Aufwand als gering, der Nutzen jedoch als hoch eingeschätzt wird. Offensichtlich machen sich die Unternehmen das Arbeitsleben oft genug unnötig schwer.

Probleme bear-
beiten und lösen
6. Und schließlich werden die ausgewählten Probleme bearbeitet und gelöst. Dabei sind die Lösungen so vielfältig wie das Arbeitsleben. Sie reichen von einfachen Vereinbarungen über Checklisten und Formulare (oder deren Abschaffung) bis hin zu

komplexen Reprogrammierungsarbeiten unternehmensinterner EDV-Systeme.

Lösung finden in drei Schritten

Das Finden von Lösungen mag somit einfach klingen, ist jedoch für den begleitenden Moderator der herausfordernde Teil eines solchen Workshops. Der Weg zur Lösung ist dabei in drei Schritte aufgeteilt: Zunächst bittet der Moderator die Teilnehmer darum, das Problem so zu beschreiben, wie es sich im Arbeitsalltag präsentiert. Nahezu immer entbrennt daraufhin eine Diskussion um mögliche Lösungen. Dabei besteht für den Moderator die Aufgabe darin, die Teilnehmer zurück zur Frage zu führen und das Problem zunächst beschreiben zu lassen. Im zweiten Schritt geht es dann darum, die Ursachen des Problems herauszuarbeiten. Auch hier sind die Teilnehmer schnell bei möglichen Lösungen und der Moderator muss wieder zur Frage zurückführen.

Nebenbei bemerkt: Falls der begleitende Moderator ein Mitarbeiter des Unternehmens ist, empfiehlt es sich, Workshops so zu besetzen, dass der jeweilige Moderator möglichst nicht über Detailkenntnisse im zu bearbeitenden Problemfeld verfügt. So ist er bei Fachdiskussionen außen vor und läuft nicht Gefahr, seine neutrale Rolle aufzugeben, indem er selbst an Diskussionen teilnimmt oder sich gar in Diskussionen verstricken lässt.

Sind die ersten beiden Schritte (Beschreibung des Problems, Diskussion der Ursachen) gut getan, ist das Erarbeiten von Lösungsvorschlägen meist ein Kinderspiel. Es müssen lediglich die Ursachen beseitigt werden. Interessanterweise sind in der Regel schließlich genau die Mitarbeiter bereit, Verantwortung für die Umsetzung einer Maßnahme zu übernehmen, die sich am stärksten an der Diskussion der Ursachen beteiligt haben.

Wenn sich eine Maßnahme nicht unmittelbar umsetzen lässt, wird diese in einen Maßnahmenplan aufgenommen, wobei diejenigen, die Verantwortung für die Umsetzung einer Maßnahme übernehmen, selbst bestimmen, bis zu welchem Datum sie eine Maßnahme umsetzen möchten. Dieser Stichtag sollte jedoch tendenziell in naher Zukunft liegen, denn um dieses Teilprojekt abzuschließen, setzt sich die Teilnehmergruppe nach einem überschaubaren Zeitraum (zwei bis drei Monate) erneut zusammen, um in diesem Rahmen unter Begleitung desselben Moderators zu diskutieren, wie sich der Prozess entwickelt hat (Level 3-Check) – im Bedarfsfall insbesondere mit der Frage, wie sich Bearbeitungs- und Liegezeiten entwickelt haben. Dabei werden möglicherweise weitere Verbesserungsbedarfe gefunden, die erneut entweder sofort umgesetzt werden oder in Maßnahmen münden. Ist Letzteres der Fall, trifft sich die Gruppe nach der Umsetzung dieser neuen Maßnahmen noch einmal.

Wenn auf diese Weise mit Dutzenden von – durchaus auch mal parallel stattfindenden – Workshops alle größeren und offensichtlichen Probleme gefunden und gelöst wurden, ist die Zeit für das „Feintuning" gekommen, für Phase 2.

Phase 2

Nachdem in Phase 1 von Level 3 sozusagen die offensichtlichen und zum Teil im gesamten Geschäftsprozess verzweigten Probleme bearbeitet wurden, werden in Phase 2 gezielt der jeweilige interne Kunde und sein interner Lieferant zusammen an einen Tisch gebracht. Die Leitfrage lautet dabei: „Was kann ich als interner Lieferant noch besser machen, damit Du als mein Kunde wiederum noch besser Deinem (internen) Kunden zuarbeiten kannst?" Das Ziel ist erneut, die Liegezeiten zu verringern und den Fluss der Informationen und Materialien spürbar zu verbessern.

Phase 2: Interne Kunden und Lieferanten

+ Alle Schnittstellen des Qualitätswesens
+ Schnittstellen: zentrales Controlling / kaufmännische Bereiche der Geschäftsbereiche
+ Alle Schnittstellen für Personaldienstleistungen (Einstellungen, Personalentwicklung)

Insgesamt bietet es sich an, die Verbesserungen über den gesamten Geschäftsprozess von hinten her zu beginnen. Würde man von vorne beginnen, wäre es theoretisch möglich, dass die teilnehmenden Bereiche ihren Ablauf nochmals so weit verbessern, das heißt beschleunigen, dass weiter hinten im Prozess unnötig Engpässe entstehen und Bestände aufgebaut werden. Also beginnt man hinten.

Im dargestellten Beispiel werden also vor dem Hintergrund einer Optimierung des Informationsflusses zuerst die Versand-Mitarbeiter und die Montage zusammengebracht, dann die Montage und die Fertigungsbereiche, dann die Fertigung und der Wareneingang beziehungsweise die Fertigung und der Einkauf und so weiter. Der letzte Workshop betrifft den Anfang des jeweiligen Geschäftsprozesses, in diesem Fall die strategische Zusammenarbeit zwischen Entwicklung und Vertrieb. Oder entsprechend anders, wenn das Unternehmen anders aufgebaut ist. Bezieht man das Qualitätswesen, alle kaufmännischen Abläufe sowie die Personalrekrutierung und -entwicklung mit ein, kann man selbst in mittelständisch geprägten Unternehmen insgesamt leicht mehr als 30 Schnittstellen pro Geschäftsbereich identifizieren.

Weitere Optionen: Einbinden der Lieferanten, internes Benchmarking

Hat man auch diese Workshops alle durchgeführt, kann es sich in manchen Unternehmen nun lohnen, über die Unternehmensgrenzen hinaus zu schauen und gezielt ausgewählten Zulieferunternehmen Workshops und damit Prozess-Know-how anzubieten. In einem Mehrproduktunternehmen könnte sich davor auch ein internes Benchmarking zu gesamten Geschäftsprozessen oder zu ausgewählten Teilprozessen anbieten, wie beispielsweise Vertrieb, Konstruktion, Projekt-Management, Beschaffung, Fertigung oder Montage – stets mit dem Ziel, die Durchlaufzeiten entlang des gesamten Prozesses immer weiter zu senken.

Das Ziel von Level 3, die konsequente Kundenorientierung, ist erreicht, wenn alle Informationen in den Bürobereichen und alle Teile in der Werkstatt fließen: fehlerfrei, zum richtigen Zeitpunkt, in der richtigen Menge und an die richtige Person. Jeder Werktätige weiß aus eigener Erfahrung, dass dieses Ziel in Vollendung eher selten erreicht wird, und so bietet es sich an, nach Abschluss von Phase 2 – und gegebenenfalls den im vorigen Absatz erwähnten möglichen Weiterentwicklungen, die man Phase 3 und Phase 4 nennen könnte – erneut das Konzept von Phase 1 zu durchlaufen. Zu dem Zeitpunkt, zu dem Sie Phase 2 erfolgreich abgeschlossen haben, haben sich die Umweltbedingungen gegenüber dem Beginn der abteilungsübergreifenden

Verbesserungsmaßnahmen wieder geändert, und die eine oder andere der ursprünglich gefundenen Lösungen passt nicht mehr optimal. Die Umwelt ist immer dynamisch und die Organisation muss sich immer wieder anpassen. Mit der erneuten Bestandsaufnahme (Phase 1) steigt das Unternehmen dann in einen echten Prozess kontinuierlicher Verbesserung ein. Die neuen Probleme sind aller Erfahrung nach zwar etwas kleiner als die Probleme, die zu Beginn des Verbesserungsprogramms transparent wurden, ihre Bearbeitung lohnt sich jedoch ebenso.

Gewinnsteigerung und Wandel der Unternehmenskultur

Nach mehreren Jahren regelmäßig stattfindender Workshops auf allen drei Ebenen, Level 1, Level 2 und Level 3, ist das Unternehmen schließlich Schritt für Schritt besser geworden, viel besser und profitabler. Und weiterhin wird mit jeder weiteren Verbesserung ein Beitrag zur Erhöhung der Qualität oder zur Verkürzung individueller Arbeitsabläufe oder zur Verkürzung der Gesamtdurchlaufzeit geleistet – oder sogar zu allen drei Faktoren gleichzeitig. Neben der entsprechenden Steigerung der Rendite wandelt sich auch die Unternehmenskultur, hin zu einer Kultur, in der stets der Kunde im Vordergrund steht.

Vierter Schritt – Level 4

Level 4: Dokumentation des Erfolgs

Hoppla! Hatten wir nicht von drei Schritten gesprochen, deren Umsetzung unser Unternehmen erfolgreich machen soll? Grundlegend ist es auch so. Mit Level 4 wird kein Mehrwert für den Prozess geschaffen; lediglich der Erfolg wird dokumentiert. Es geht schlicht um das Finden passender Kennzahlen, die die Verbesserung abbilden und mit denen man den Verbesserungsprozess steuern kann.

Dafür – ebenso wie für den Aufbau eines schlüssigen Kennzahlensystems für das gesamte Unternehmen – ist grundlegend zu klären, welche Kennzahlen denn zum Unternehmen passen, oder vielleicht grundlegender noch: was denn gute Kennzahlen überhaupt ausmacht, denn für fast jeden Vorgang lassen sich leicht mehrere Kennzahlen finden. Und alle scheinen irgendwie interessant zu sein. Statistik fasziniert. Sind aber auch alle Kennzahlen wirklich sinnvoll?

Um diese Kernfrage kurz zu beantworten: Eine Kennzahl ist dann sinnvoll, wenn ihre Veränderung eine Veränderung des Unternehmensergebnisses abbildet. Umgekehrt: Eine Kennzahl, die diesem Anspruch nicht gerecht wird, ist wohl nur „nice to have". In vielen Unternehmen ist jedoch festzustellen, dass mit Ehrgeiz daran gearbeitet wird, Kennzahlen für möglichst alle Vorgänge zunächst zu erarbeiten und dann entsprechende Daten periodisch mit Akribie zu erheben. Dazu ist kritisch festzuhalten, dass ein Prozess dann optimal ist, wenn man nichts mehr weglassen kann, und nicht, wenn man nichts mehr hinzufügen kann. Das gilt auch für Controlling-Prozesse. Unternehmens- und branchenübergreifend scheint hier jedoch ein stiller Wettbewerb um den kompliziertesten Prozess ausgebrochen zu sein – und dies, obwohl wenige durchdachte Kennzahlen ihren Zweck besser erfüllen, als Dutzende halb durchdachter Kennzahlen.

Ein Beispiel für eine durchdachte Kennzahl ist der Gewinn pro Mitarbeiter. Ein anderes Beispiel für eine wirklich sinnvolle Kennzahl ist das Verhältnis von der Zeit, die Teile oder Informationen auf ihre Be- bzw. Verarbeitung warten, zu der für die Be- oder Verarbeitung aufgewendeten Zeit (Liegezeit zu Bearbeitungszeit). Für die Erhöhung des Durchsatzes, der verdienten Menge Geld pro Zeiteinheit, ist dies DIE Kennzahl überhaupt. Sicher ist sie nicht für alle Teilprozesse entlang der Wertschöpfungskette erhebbar, aber für viele.

Nebenbei bemerkt: Ich kenne ein Industrieunternehmen, das für die effiziente Steuerung seiner Produktion – mit immerhin knapp 300 Arbeitern – mit nur sechs Kennzahlen auskommt. Auch die Bürobereiche dieses Unternehmens beschränken sich auf die Kennzahlen, die zur Steuerung des jeweiligen Bereichs nötig sind und setzen nicht alle Kennzahlen ein, die irgendwie erhebbar sind und interessant erscheinen. So wird dort viel Zeit gespart, bei den Controllern und bei den Mitarbeitern, die dadurch mehr Zeit für ihre Kunden haben. Alle in diesem Unternehmen verwendeten Kennzahlen sind ausgehend von der Umsatzrendite systematisch auf die einzelnen Funktionen heruntergebrochen. Etwas anderes als die Umsatzrendite interessiert dort nicht – ganz im Sinne von Eliyahu Goldratt (1984, „The Goal"), der deutlich machte, dass das Hauptziel eines Unternehmens darin besteht, Geld zu verdienen.

Losgelöst von diesem ungewöhnlichen Unternehmen ist mit Blick auf die Auswahl passender Kennzahlen generell anzumerken, dass fast alle Kennzahlen durch den Markt beeinflusst sind. Kennzahlen, die ausschließlich Prozessverbesserungen abbilden, gibt es kaum. (Streng genommen gibt es keine solchen Kennzahlen. Aber auf diese akademische Frage möchte ich an dieser Stelle nicht eingehen.) In jedem Fall ist meiner Meinung nach Vorsicht bei der Auswahl und Interpretation von Kennzahlen geboten. Als mahnendes Beispiel für eine „unsaubere" Interpretation sei hier ein international sehr erfolgreiches Industrieunternehmen erwähnt, das sich in den Jahren 2002 und 2003 sehr um die Verbesserung seiner Arbeitsabläufe bemüht hat, insbesondere im Vertrieb. Als 2004 der Auftragseingang dort begann, wieder merklich anzusteigen, wurde dies in Präsentationen gegenüber Kunden und Besuchern, aber auch intern ausschließlich auf die Prozessverbesserungen der beiden Vorjahre zurückgeführt – ohne zu berücksichtigen, dass die Wirtschaft in jenem Jahr generell begann, sich von den Auswirkungen der Terroranschläge des Jahres 2001 zu erholen.

Nicht alle Fehlinterpretationen sind so offensichtlich. Jedoch ist es eben ein Irrglaube, man könne die Verbesserungen von Prozessen problemlos abbilden. Für manche Abläufe mag dies funktionieren, insbesondere in der Produktion. Betrachtet man aber gesamte Geschäftsprozesse, wird dies zuweilen richtig schwierig. Daher plädiere ich stets dafür, dass man ausgehend von der Umsatzrendite ein durchdachtes Kennzahlensystem entwickelt, mit dem es möglich ist, das Unternehmen mit Blick auf das Ziel, die Umsatzrendite zu steigern, zu steuern bzw. alle betrieblichen Funktionen auf dieses Ziel auszurichten. Dabei sollte man konsequent sein. Ansonsten läuft man Gefahr, unnütze Bürokratie zu erzeugen. Vor allem jedoch sollte man bei all dem Streben nach Belegen für die Erfolge von Verbesserungsaktivitäten berücksichtigen, dass sich nicht für jede kleine Verbesserung unmittelbar ermitteln lässt, welchen Beitrag sie zum Erfolg des Unternehmens leistet. Ich komme im Zuge der Beantwortung der 55 Fragen und Antworten nochmals auf dieses zuweilen sehr kontrovers diskutierte Thema zurück.

Kennzahlen müssen zum Steuern des Unternehmens taugen

Als Kennzahlensystem für das gesamte Unternehmen habe ich die so genannte Balanced-Scorecard schätzen gelernt. Mittels

dieser können Veränderungen für alle wesentlichen Interessen-
gruppen bzw. in allen Entwicklungsfeldern des Unternehmens
abgebildet werden: Kunde, Mitarbeiter, Investor, Produkt, Prozess. So sind dort kunden- und investorenbezogene Daten, wie
beispielsweise Liefertreue (Einhalten des vertraglich vereinbar-
ten Lieferdatums) oder Auftragseingang, Umsatz und Umsatzrendite ebenso zu finden wie zum Beispiel Mitarbeitermotivation
und -zufriedenheit. Bei der graphischen Darstellung ist es möglich, neben der erreichten Leistung auch die Ziele und damit die
gegenwärtig vorherrschende Leistungsdifferenz zwischen Ist-
und Zielzustand abzubilden. Ob letztlich als Balanced-Scorecard
oder nicht: Die Entwicklung des Unternehmens anhand aller
wesentlichen Kenngrößen auf einer Informationstafel zeitnah,
bspw. monatlich, darzustellen, ist die Kernaufgabe im vierten
Schritt.

Fünfter Schritt – Level 5

Level 5:
*Externes Bench-
marking*

Tja, wen wundert's? Wenn es in einem 3-Level-Modell einen vierten Schritt gibt, dann kann es auch einen fünften geben. Dieser
ist aber wirklich der letzte. Wie schon Level 4, so trägt auch Level
5, das Benchmarking, nicht unmittelbar etwas zur Erhöhung der
Produktivität bei, sondern nur mittelbar. Trotzdem lohnt es sich,
diesen Schritt zu gehen, denn nachdem Sie mit Level 1 bis 3 Ihr
gesamtes Unternehmen „fit" gemacht und im Zuge der Einführung und Weiterführung der drei Level zahlreiche Erfahrungen
gemacht haben, macht es Sinn, sich mal umzuschauen, was
andere Unternehmen so tun.

In vielen Unternehmen gibt es Programme, manchmal auch
nur Projekte, mit denen Geschäftsprozesse optimiert werden.
Und jeder macht es etwas anders: Beispielsweise stehen in
Unternehmen mit Serien- oder Massenprodukten etwas andere
Themen im Vordergrund, als bei einem Einzelfertiger, und dort
ist es wiederum anders, als bei einem Dienstleistungs- oder bei
einem Handelsunternehmen. In manchen Unternehmen unterstützt die Unternehmensleitung das Thema Verbesserung
aktiv, nach besten Kräften und bei jeder Gelegenheit. In anderen
Unternehmen wird dem Change-Manager gesagt: „Machen Sie
mal!". Manche Unternehmen haben in Form von Personalabbau

schlechte Erfahrungen mit dem Thema Veränderung gemacht, in anderen Unternehmen ist wenig Skepsis zu spüren. In vielen Unternehmen gibt es kleine Verbesserungsteams, in manchen große. Im einen Unternehmen widmen sich die entsprechenden Mitarbeiter dem Thema Verbesserung in Vollzeit, im anderen Unternehmen wird das Thema Verbesserung so organisiert, dass die Mitarbeiter sich sozusagen „nebenberuflich" in die Verbesserung von Arbeitsabläufen einbringen. Im einen Unternehmen stehen große Projekte im Vordergrund, woanders eher kleine. Und so weiter, und so weiter.

In jedem Unternehmen lernt man etwas

Und man lernt immer etwas hinzu – sei es, was im eigenen Haus noch weiter verbessert werden könnte oder auch, was man – der eigenen Unternehmenssituation entsprechend – besser macht.

Widmen wir uns nun in einem letzten, aber sehr umfassenden Teil dieses Buches einigen Fragen, die oft zu Beginn, spätestens jedoch im Verlauf des Aufbaus des hier beschrieben Verbesserungsprogramms gestellt werden.

Sehen heißt nicht Verstehen.
Verstehen heißt nicht Befürworten.
Befürworten heißt nicht Umsetzen.
Umsetzen heißt nicht Beibehalten.

5 Umsetzung mit Nachhaltigkeit: 55 Fragen und Antworten

1. Wir wollen Prozesse verbessern. Warum sind Sie dafür, am einzelnen Arbeitsplatz zu beginnen und nicht mit einem gesamten Prozess?

Diese Frage wird oft gestellt. Und die Antwort ist einfach: Weil es in der Regel nicht zum gewünschten Ergebnis führt, wenn man mit der Verbesserung gesamter Prozesse beginnt. Auf eine Ausnahme dazu gehe ich am Ende der Beantwortung dieser Frage ein.

Ja, der Gedanke, mit gesamten Geschäftsprozessen zu beginnen, ist reizvoll. Und fast jeder meiner Kunden hat diesen Gedanken. Wirklich erfolgreich wird ein auf Dauer angelegter Verbesserungsprozess meiner Erfahrung nach jedoch nur dann, wenn er von einer Vielzahl der Mitarbeiter aktiv getragen wird. Um dies zu erreichen, ist die Analyse eines gesamten Prozesses als erster Schritt viel zu komplex.

Prozessanalyse als erster Schritt zu komplex

Meiner Erfahrung nach ist es wichtig, bereits mit den ersten Aktionen möglichst viele Mitarbeiter für das Thema Verbesserung zu gewinnen und aktiv in den Verbesserungsprozess mit einzubinden. Es ist nicht zu unterschätzen, wie viele Mitarbeiter zu Beginn eines Verbesserungsprogramms skeptisch sind oder das Thema Verbesserung gar offen ablehnen, weil sie erfahren haben, dass Prozessverbesserung zu Personalabbau führen kann – sei es im eigenen Unternehmen oder aus Erzählungen anderer. Auch wenn seitens der Unternehmensleitung glaubhaft erklärt wird, dass dies nicht das Ziel der Verbesserungsanstrengungen ist, so kann das entsprechende Vertrauen der Mitarbeiter nicht einfach vorausgesetzt werden; es muss erarbeitet werden.

Mit Level 1 kann jeder Mitarbeiter im eigenen Arbeitsumfeld die Erfahrung machen: „Ich selbst kann etwas verändern", „Mein Beitrag ist wichtig", „Ich werde ernst genommen". Mit Level 2 erarbeiten sich die Kolleginnen und Kollegen jeder Abteilung Standards, die von ihnen allen getragen werden. Der ideale Zeitpunkt, um dann die abteilungsübergreifende Perspektive, Level 3, ins Spiel zu bringen, ist aus meiner Sicht, nachdem mit Level 1 und Level 2 erste Erfahrungen gesammelt wurden. Erst mit diesen Erfahrungen gerüstet erfassen die Mitarbeiter, dass weder Themen noch Teilnehmer für Workshops einfach „von oben" vorgegeben werden, sondern dass sowohl Themen als auch Workshop-Teilnehmer unter maßgeblicher Beteiligung der betroffenen Bereiche ausgewählt und Lösungen entsprechend gemeinsam erarbeitet werden, von Mitarbeitern, die ihre jeweilige betriebliche Funktion angemessen repräsentieren können. Wird den Mitarbeitern vor der Verbesserung gesamter Prozesse nicht die Möglichkeit gegeben, die genannten Erfahrungen zu sammeln und werden Themen und Teilnehmer „von oben" vorgegeben – was bei einem Beginn aller Aktivitäten mit einer Prozessanalyse nicht unüblich ist –, führt dies in den meisten Fällen dazu, dass nur wenige Mitarbeiter bereit sind, die Veränderungen, die erarbeitet werden, wirklich anzunehmen und im Sinne einer Nachhaltigkeit zu „leben".

Nachhaltigkeit der Veränderungen nur, wenn Mitarbeiter gewonnen werden

Erwähnen möchte ich jedoch, dass ich in unternehmerischen Krisensituationen das Gegenteil empfehle! Ich komme bei Frage 37 darauf zurück. Auch möchte ich nicht unerwähnt lassen, dass ich die Erfahrung gemacht habe, dass es in sehr großen Organisationen möglich ist, alle Level gleichzeitig einzuführen – dies jedoch nur dann, wenn von Beginn an auch eine sehr große Anzahl Prozessbegleiter ausgebildet wird, die dann alle Level unmittelbar in die Breite tragen. Um mit einer solch massiven Vorgehensweise erfolgreich zu sein, muss das Umfeld meiner Erfahrung nach das eines Großkonzerns sein, oder es muss diesem zumindest ähneln. Im Großkonzern sind es die Mitarbeiter gewohnt, dass Änderungen rasch und umfangreich vonstattengehen; schon die bloße Beteiligung der Mitarbeiter führt dort zu einer positiven Bewertung des Themas Verbesserung bzw. Veränderung. So einfach, wie rasche und massive Änderungen in ausgeprägt hierarchischen Strukturen akzeptiert werden, so sehr würde eine solche Vorgehensweise jedoch in den meisten

mittelständisch geprägten Unternehmen die Änderungsbereitschaft überfordern und wohl auch das politische Gleichgewicht
gefährden. Daher plädiere ich grundsätzlich dafür, das Verbesserungsprogramm so wie unter „4.2" dargestellt, Schritt für Schritt
einzuführen, vom einzelnen Mitarbeiter über die Arbeitsgruppe
bis hin zum Prozess – und nicht alle Level gleichzeitig oder gar in
umgekehrter Reihenfolge.

Mitarbeiter Schritt für Schritt heranführen

2. Was halten Sie von einer selektiven Einführung der Methode? Vielleicht nach dem Motto: „Jeder Bereich, der Interesse hat, soll es einführen". Und was halten Sie davon, ein Verbesserungsprogramm möglichst an jedem Standort gleichzeitig einzuführen?

In der Tat läuft es in vielen Unternehmen nach dem Motto „Wer
Interesse hat, mag die im Unternehmen verfügbaren Verbes-
serungsinstrumente nutzen". Ich persönlich halte dies für eine
suboptimale Lösung, denn wenn so vorgegangen wird, findet
Verbesserung erfahrungsgemäß vorwiegend in den Bereichen
statt, die heute schon über vergleichsweise gute Abläufe verfügen und die grundsätzlich offen für das Thema „Verbesserung"
sind. Den Bereichen hingegen, die das Thema am nötigsten
hätten, gelingt es im Rahmen dieser Freiwilligkeit tendenziell,
außen vor zu bleiben. Der unternehmerische Erfolg stellt sich jedoch erst ein, wenn *alle* Arbeitsabläufe konsequent aufeinander
abgestimmt werden. Daher muss ein Verbesserungsprogramm,
das dies leisten kann (wie beispielsweise das in diesem Buch dargestellte), in allen Unternehmensbereichen eingeführt werden,
um seine volle Leistungsfähigkeit zu entfalten.

Der Erfolg kommt erst, wenn alle mitmachen

Aus dieser Erkenntnis heraus gehen Konzerne oft so vor, dass sie
ein neues Verbesserungsprogramm in allen Unternehmensbereichen und an allen Standorten gleichzeitig einführen – denn
die Konzernleitung verbindet damit meist den Wunsch, bereits
nach ein bis zwei Quartalen erste – möglichst messbare – Erfolge
vermelden zu können, an jedem Standort. Wie aus der Antwort
zu Frage 1 hervorgeht, zeigt meine Erfahrung zwar, dass man
unter bestimmten Bedingungen mit allen methodischen Kom-
ponenten gleichzeitig beginnen kann. Örtlich, das heißt bezogen auf Abteilungen und Standorte, muss man jedoch in jedem

Fall Schritt für Schritt vorgehen, um das gesamte Unternehmen wirksam zu erreichen – zum einen, weil in den operativen Bereichen Kapazitäten nicht grenzenlos für das Thema Verbesserung zur Verfügung stehen, sondern der Kunde auch noch bedient werden möchte, zum anderen, weil die Kompetenz, die zur Einführung und Pflege eines Verbesserungsprogramms geschaffen werden muss, in der Regel nicht einfach massenhaft zur Verfügung steht, sondern systematisch aufgebaut sein will.

Interne Kompetenz muss schrittweise geschaffen werden

In Unternehmen, die das Thema „Verbesserung" dennoch mit einer grundlegenden Ungeduld angehen, wird – unabhängig von der zum Einsatz kommenden Methode – nicht selten die „Quadratur des Kreises" versucht. Ob mit Blick auf Kaizen, Six-Sigma, TPM, Wertstromdesign oder einer anderen Methode: Mit dem Wunsch, Wandel nicht nur rasch und methodisch umfassend, sondern darüber hinaus auch noch möglichst überall gleichzeitig zu erzielen, wird dann eine große Anzahl Mitarbeiter zunächst intensiv geschult, mit viel Theorie und vermeintlich praxisnahen Übungen, oft mehrere Wochen lang, damit sie dann „gut gerüstet" das Thema Verbesserung in ihrem jeweiligen Unternehmensbereich oder an ihrem Standort einführen können. Eine gute Ausbildung der Prozessbegleiter im Vorfeld – wenn auch nicht in diesem Umfang – ist unbestritten wichtig, jedoch ist in den meisten Unternehmen, die von Beginn an den eben skizzierten methodischen, zeitlichen und örtlichen Ganzheitlichkeitsanspruch an den Tag legen, die dann folgende Umsetzung fragwürdig, weil die mit solchen Schulungen „frisch gebackenen" Prozessbegleiter während ihrer ersten praktischen Schritte meist unzureichend begleitet werden – wenn überhaupt.

Bloße Schulung der hausinternen Begleiter genügt nicht

So geschieht es nur zu oft, dass die ausgewählten Mitarbeiter aus Mangel an praktischer Erfahrung viele der zu Beginn der Einführung eines systematischen Verbesserungswesens auftretenden Fragen ihres lokalen Managements nicht beantworten können. Entsprechend wird das Thema vom Management dieses Konzernstandortes nicht ausreichend gestützt und endet mit einem tolerierenden aber nicht aktiv stützenden „Na, dann machen Sie mal." Und damit kommt das Verbesserungswesen verständlicherweise nicht richtig in Gang – und manchmal stirbt es sogar, bevor es überhaupt richtig zum Leben erweckt werden konnte.

Der konzerntypische Weg, eine selektive Einführung des Themas „Verbesserung" dadurch zu vermeiden, dass einerseits möglichst überall gleichzeitig begonnen wird und andererseits Mitarbeiter intensivst geschult und dann aber leider mehr oder weniger sich selbst überlassen werden, ist also unterm Strich für die Einführung eines systematischen Verbesserungswesens ebenso wenig Erfolg versprechend wie die zuvor diskutierte, auf Freiwilligkeit basierende, selektive Einführung.

Die Lösung: Aufbau von „Keimzellen"

Die Lösung hingegen liegt meiner Erfahrung nach im Aufbau von „Keimzellen", in denen die hausinternen Prozessbegleiter rasch ihre ersten eigenen Erfahrungen machen können und in denen sie sich Schritt für Schritt zu echten hausinternen Beratern entwickeln. Meist wird damit begonnen, den Hauptstandort des Unternehmens unter angemessener externer Begleitung Schritt für Schritt als Keimzelle aufzubauen. Und wenn die hausinternen Prozessbegleiter dann beginnen, das Thema „Verbesserung" an andere Unternehmensstandorte zu tragen, sind sie aus ihrem individuellen Erfahrungsschatz heraus in der Lage, alle Fragen kompetent zu beantworten.

Das Tempo kann dabei durchaus hoch sein, so dass einem verhältnismäßig raschen Erfolg nichts im Wege steht (vgl. Frage 21). In jedem Fall wird der Erfolg so jedoch auf solide Füße gestellt: er betrifft schrittweise das gesamte Unternehmen und hat das Potenzial von Dauer zu sein.

3. Wie geht man damit um, wenn jeder vorgibt, er habe keine Zeit für Verbesserungen?

In den meisten Unternehmen beginnen die ersten Schritte mit viel Euphorie. Jedoch gelangt man in jedem Unternehmen früher oder später an den Punkt, an dem entweder das Management oder die Mitarbeiter oder beide Gruppen versuchen, deutlich zu machen, dass sie keine Zeit für Verbesserungen hätten, weil so viel für den Kunden zu tun sei. Und das gehe schließlich vor. „Der Kunde geht vor." Einverstanden. „Wir haben keine Zeit, uns Zeit zu schaffen." Nicht einverstanden.

„Wir haben keine Zeit, uns Zeit zu schaffen"

Um den Skeptikern ihre Situation vor Augen zu führen, unabhängig davon, ob es sich um das Management, Sachbearbeiter oder Mitarbeiter der Produktion handelt, bietet sich die Geschichte vom Zaunreparieren und Hühnerfangen an:

Zaun reparieren oder Hühner fangen?

Stellen Sie sich vor, Sie sind Hühnerzüchter. Ihre Aufgabe besteht darin, Ihre Hühner zu füttern, zum Markt zu bringen und dort zu verkaufen. Ihre Hühner befinden sich in einem abgezäunten Gehege. Nun kommen Sie eines morgens zu Ihrem Gehege und möchten Ihre Hühner füttern. Und Sie stellen fest, dass ein Teil – sogar ein großer Teil – Ihrer Hühner über Nacht durch Löcher im Zaun aus dem Gehege ins Freie gekommen ist, so wie gestern, vorgestern und die Tage davor auch. Wie üblich sind alle freien Hühner noch irgendwie greifbar. Also beginnen Sie damit – wie jeden Tag –, Ihre Hühner wieder einzufangen, um sich so beim Füttern Arbeit zu sparen, denn Sie möchten das Füttern nicht mehrfach durchführen. Am Ende des Tages schaffen Sie es dann tatsächlich, ein paar Hühner zum Markt zu bringen und dort zu verkaufen.

Was ist wichtiger? Kunden zufrieden stellen oder Prozess verbessern?

Übertragen auf die Arbeitswelt heißt das, dass Sie erst Informationen beziehungsweise Material zusammentragen, bevor Sie damit arbeiten und letztlich das Ergebnis dem Kunden liefern können. Die Frage ist nun, was wichtiger ist: Hühner fangen oder Zaun reparieren? Oder mit anderen Worten: den (internen oder externen) Kunden zufrieden stellen oder den Prozess verbessern?

Die Antwort ist einfach: Beides ist wichtig. Sicher müssen die „Hühner" eingefangen werden (die Informationen und das Material zusammengetragen werden), um damit zu arbeiten und schließlich den Kunden zufrieden zu stellen. Wenn ich mich jedoch nicht grundlegend darum bemühe, dauerhaft ein intaktes Gehege zur Verfügung zu haben, werde ich dem Kunden nie wirklich viele Hühner ausliefern können, weil ich mich immer auch mit nicht Wert schöpfenden Tätigkeiten aufhalte.

Nur 3 Tage pro Jahr

Bei dem Weg, den ich im Rahmen dieses Buches darstelle, handelt es sich um zirka drei Tage pro Abteilung pro Jahr (vgl.

auch Fragen 18, 17 und 13), die in das Reparieren des „Zauns" investiert werden – nicht mehr und nicht weniger. Ich kenne keinen Manager, der nicht bereit wäre, seine Mitarbeiter jährlich drei von mehr als 200 Arbeitstagen am Zaunreparieren arbeiten zu lassen. Wenn es dann jedoch darum geht, Tage für Verbesserungsworkshops festzulegen, scheint merkwürdigerweise bereits dieses geringe Volumen abschreckend zu sein, so dass mancher Manager und Mitarbeiter zunächst lieber weiter Informationen und Material „jagen" will, anstatt an einer systematischen Verbesserung des Informations- und Materialflusses zu arbeiten.

Jetzt denken viele von Ihnen vielleicht an das vergleichbare und durchaus bekanntere Bild vom Baumfällen und Sägeschärfen. Mir persönlich gefällt das Bild vom Zaunreparieren und Hühnerfangen besser, weil es auch das fortwährende Entstehen immer neuer Probleme beinhaltet, denn das Huhn – ein „fieses Vieh" – pickt immer wieder neue Löcher in den Zaun, an neuen und an alten Stellen. So muss das Unternehmen schließlich immer wieder neue und bessere Lösungen für Probleme finden und sich so an geänderte Wettbewerbsbedingungen anpassen.

4. Kann man das Verbesserungspotenzial eines Unternehmens sehen?

Nahezu alle Probleme sind offensichtlich

Kehren wir gedanklich noch einmal kurz an den Anfang der Geschichte vom Zaunreparieren und Hühnerfangen zurück, genauer: zum Hühnerfänger. In der Tat kann man die „Hühnerfänger" in Büros und Produktionsbereichen tatsächlich sehen. Nahezu alle Probleme sind offensichtlich. Die im Folgenden beschriebene Übung hilft Ihnen dabei, den Blick zu schärfen:

Man nehme sich ein DIN-A4-Blatt und einen Stift und stelle sich einmal 45 Minuten lang in ein Büro oder einen Produktionsbereich. Dabei sollte man sich nicht von der Stelle rühren, denn oft dauert es eine ganze Weile, bis man das Verbesserungspotenzial von Arbeitsabläufen tatsächlich wahrnimmt.

In Büros kann man beobachten, wie Mitarbeiter anderer Bereiche kommen und Fragen stellen. Man wird Zeuge von Telefonanrufen und Weiterverbindungen. Man wird sehen, wie viele Wege zu Fax- und Kopiergeräten zurückgelegt werden. Man wird sehen, wie Mitarbeiter sich auf der Suche nach für ihren nächsten Arbeitsgang wichtigen Informationen durch Stapel von Papier, Massen von E-Mails sowie durch PC-Dateistrukturen und konventionelle Ordnerablagen „hindurchkämpfen". Und und und.

Auch in Produktionsbereichen wird man Zeuge von Suchaktionen – dort nach Material und Werkzeug. Auch wird man sehen, wie Material – unter Umständen über lange Distanzen – von einem Ort an einen anderen transportiert wird, möglicherweise auch, wie Material aus dem Weg geräumt werden muss, damit anderes Material erreicht werden kann. Und dies alles womöglich während eine Maschine still steht, von der man später herausfindet, dass sie in diesem Produktionsbereich ein Engpass ist und zur Erhöhung des Durchsatzes eigentlich optimal ausgelastet sein sollte.

Das für mich persönlich schönste Aha-Erlebnis habe ich in einem Maschinenbauunternehmen erlebt. Im Rahmen einer Schulung für die Führungskräfte sollte jede Führungskraft in einer ihr fremden Abteilung Stellung beziehen und beobachten sowie Notizen davon machen, was aus ihrer Sicht besser gemacht werden könnte. Ein Geschäftsbereichsleiter ging in die Buchhaltung. Nach 20 Minuten kam ich dort vorbei und der Geschäftsbereichsleiter, der dort auf einem freien Schreibtisch saß, fragte, ob es noch Sinn mache, weiter dort zu bleiben. Er hatte bislang nichts gesehen und ging davon aus, dass dies auch so bleiben würde. Selbstverständlich sollte er die Übung zu Ende führen.

Aha-Erlebnis   Nach weiteren 25 Minuten waren alle Führungskräfte zurück im Schulungsraum, um sich über ihre Erfahrungen auszutauschen – außer der Geschäftsbereichsleiter, der in der Buchhaltung saß. Als ich in die Buchhaltung kam, um ihn abzuholen, strahlte mir ein völlig veränderter Manager entgegen: „Das ist ja Wahnsinn. Seit 20 Minuten sehe ich auf einmal, was hier passiert!" Der Zettel war voll von Notizen.

Immer wenn jemand den Telefonhörer in die Hand nimmt, um zu fragen: Wo ist denn ...?, Wo finde ich ...?, Wann bekomme ich ...? bedeutet dies, dass der Prozess fehlerhaft ist, denn die benötigte Information liegt nicht vor. Immer wenn ein Mitarbeiter sich Material oder Werkzeug holen muss, um weiterarbeiten zu können, ist der Prozess fehlerhaft, denn das benötige Material oder Hilfsmittel liegt nicht vor. Und so weiter, und so weiter.

Der große Aha-Effekt kommt dann, wenn man allen Teilnehmern dieser Übung nach einer gemeinsamen Reflektion der gefundenen Potenziale, die in der Regel üppig sind, vor Augen führt, dass sie gerade alle dieselben 45 Minuten beschrieben haben und nicht etwa einen gesamten Arbeitstag.

Vorbereitung der Übung

Anmerkung: Wenn Sie sich dazu entscheiden, diese Übung durchzuführen, sollten Sie zwei Dinge beachten: Erstens sollte man vor einem solchen Schulungselement eine interne Mitteilung an alle Mitarbeiter verschicken, dass es sich hierbei um eine reine Schulungsmaßnahme handelt. Falls man dies vergisst, wird man sehr viel Misstrauen gegenüber späteren Verbesserungsaktivitäten ernten – niemand lässt sich gerne einfach so beobachten. Und zweitens sollte man den Teilnehmern – unabhängig davon, ob es sich um Führungskräfte oder „einfache" Mitarbeiter handelt – deutlich machen, dass die so gewonnen Erkenntnisse ausschließlich dazu dienen, ihnen selbst die Augen für Verbesserungspotenziale zu öffnen. Die so gewonnenen Detailkenntnisse über einzelne Prozesse sollten auf keinen Fall direkt in Maßnahmen münden, denn, wie ich im Zusammenhang von Frage 1 schon angedeutet habe, schadet es dem Gesamtprozess, wenn Verbesserungspotenzial von „außen" oder „oben" benannt wird.

5.   Wie bereitet man einen Workshop vor, bzw. führt ihn durch?

Um ein wenig Abwechslung in die Darstellungen zu bringen, stelle ich dieses Kapitel in Form von Checklisten für die Moderatoren bzw. Prozessbegleiter dar:

Level 1

Level 1 – Vorbereitung

- Gegenseitiges Informieren/Abstimmen der Moderatoren

- Auswahl einer Abteilung bzw. Blick in den Jahresplan
  (sofern vorhanden)
- Vorgespräch mit Abteilungsleiter zum Klären offener
  Fragen führen
- Agenda an Teilnehmer verteilen
- Unternehmensleitung, Lenkungsausschuss, Personallei-
  tung und
- Betriebsrat zur Abschlusspräsentation (Ende des Work-
  shops) einladen
- Einführungsvortrag als Power-Point-Datei zur Verfü-
  gung haben
- Individuelles Vorbereiten auf Einführungsvortrag
- Raum für Einführungsveranstaltung reservieren und
  passend herrichten:
  - Laptop und Beamer
  - Leinwand
  - Stühle (Wie viele Mitarbeiter nehmen teil?)
  - Flipchart und Stifte für Skizzen und Visualisierung
- Container für Müll organisieren: Papier (2x), Kunststoff,
  Sondermüll und Schrott
- „Parkplatz" für überflüssiges aber wieder verwendbares
  Mobiliar organisieren
- Entsorgungsweg für auszusortierende Elektrogeräte im
  Vorfeld klären
- 3 Paletten für Ordner mit hohen Umrandungen oder
  alternativ: Gitterboxen besorgen
- Eine ausreichende Anzahl von Umzugskartons zum
  Transport aus den Büros in die Container beschriften,
  mit:
  - Papier
  - Plastik
  - Ordner „alt"
  - Ordner „wieder verwertbar"
  - Büromaterial (nicht in die Container, sondern zur
    abteilungsinternen, zentralen Verwaltung)
- EDV-Bereich auf mögliche Zusatzarbeit vorbereiten:
  Repositionierung von Druckern, Rechnern, Bildschirmen
- Formblätter (Ideensammlung, Maßnahmenplan) zur
  Verfügung haben
- Digitalkamera für Vorher-Nachher-Bilder für Abschluss-
  präsentation zur Verfügung haben

Level 1 – Durchführung

- Einführungsvortrag halten
- Individuelles Anregen der Mitarbeiter zum Aussortieren überflüssiger Arbeitsmittel und Neuanordnen der benötigten Arbeitsmittel – vgl. auch Frage 35
- Am Ende des ersten Tages: Erste kurze Feedbackrunde mit allen Teilnehmern
  - Wie haben Sie den ersten Tag des Workshops erlebt? Was war heute Ihr persönliches Highlight?
  - Am Ende aller Rückmeldungen: Wollen wir morgen so weitermachen?
- Weiterführung von individuellem Anregen der Mitarbeiter zum Aussortieren überflüssiger Arbeitsmittel und Neuanordnen der benötigten Arbeitsmittel, nun auch in gemeinschaftlich genutzten Bereichen (gemeinsame Papier- und EDV-Ablagen, gemeinsam genutzte Gegenstände wie Fax, Drucker, Locher, Kopierer etc.)
- Auswahl eines abteilungsinternen Prozessbegleiters (bei vielen meiner Kunden „Beauftragter" genannt)
- Vorbereiten der Abschlusspräsentation
  - Erstellen eines kleinen Video-Clips aus Vorher-Nachher-Bildern (vgl. Frage 6)
  - Sammeln weiterer Verbesserungsideen
- Abschlusspräsentation (vgl. Frage 6)
  - Feedbackrunde
  - Zeigen des Video-Clips
  - Präsentieren weiterer Ideen
  - Ausblick: Wie geht's weiter?
  - Abschließende motivierende Worte von: Abteilungsleiter, Change-Manager, Vorsitzender der Unternehmensleitung

Level 2

Level 2 – Vorbereitung

- Gegenseitiges Informieren/Abstimmen der Moderatoren
  - Auswahl einer Abteilung bzw. Blick in den Jahresplan (sofern vorhanden)

- Vorgespräch mit Abteilungsleiter zum Klären offener Fragen führen
- Agenda an Teilnehmer verteilen
- Unternehmensleitung, Lenkungsausschuss, Personalleitung und Betriebsrat zur Abschlusspräsentation (Ende des Workshops) einladen
- Einführungsvortrag als Power-Point-Datei zur Verfügung haben
- Individuelles Vorbereiten auf Einführungsvortrag
- Raum für Veranstaltung reservieren und passend herrichten:
  - Laptop und Beamer für Einführungsvortrag
  - Leinwand
  - Stühle (Wie viele Mitarbeiter nehmen teil?)
  - Flipchart und Stifte für Ideenfinden
  - Metaplan- / Pin-Wände
  - Vollständiger Moderatorenkoffer:
    - Runde und eckige weiße und farbige Metaplankarten
    - Stifte in verschiedenen Farben
    - Pinnwandnadeln
    - Kleber
    - Schere
    - Digitalkamera für Dokumentation

Level 2 – Durchführung

- Einführungsvortrag halten
- Themenvorschläge der Teilnehmer auf Flip-Chart sammeln
- Themenvorschläge von Teilnehmern gewichten lassen (jeder hat zwei Stimmen, vgl. Frage 8)
- Themen bearbeiten (vgl. auch Frage 15)
- Abschlusspräsentation (vgl. Frage 6)
  - Präsentation und abschließende Diskussion der neu gefundenen Standards
  - Präsentation weiterer Ideen mit Zeitplan für deren Umsetzung
  - Ausblick: Wie geht's weiter?

- Abschließende motivierende Worte von: Abteilungsleiter, Change-Manager, Vorsitzender der Unternehmensleitung
- Maßnahmenplan ins EDV-System einpflegen und Workflows für Maßnahmenverantwortliche (siehe Maßnahmenplan) erzeugen

Level 3

Level 3 (Phase 1) – Vorbereitung

- Gegenseitiges Informieren/Abstimmen der Moderato-
  ren
  - Auswahl einer Schnittstelle bzw. Blick in den Jahres-
    plan (sofern vorhanden)
  - Individuelle Vorgespräche mit allen betroffenen
    Abteilungsleitern; dabei: Auswahl der Teilnehmer, die
    vom internen Kunden vorgeschlagen wurden
- Einladung der Teilnehmer zum Vorgespräch
- Vorgespräch: Abstimmung mit den Teilnehmern (Inhalt,
  Ablauf, Ziele)
- Unternehmensleitung, Lenkungsausschuss, betroffene
  Vorgesetzte, Personalleitung und Betriebsrat zur Ab-
  schlusspräsentation (Ende des Workshops) einladen
- Raum für Veranstaltung reservieren und passend her-
  richten:
  - Laptop und Beamer für Einführungsvortrag
  - Leinwand
  - Stühle (Wie viele Mitarbeiter nehmen teil?)
  - Flipchart und Stifte für Ideenfinden
  - Metaplan- / Pin-Wände
  - Vollständiger Moderatorenkoffer:
    - Runde und eckige weiße und farbige Metaplankar-
      ten
    - Stifte in verschiedenen Farben
    - Pinnwandnadeln
    - Kleber
    - Schere
    - Große Post-it-Kleber für Prozess-Mapping
    - Digitalkamera für Dokumentation
- Persönliche Vorbereitung

Level 3 (Phase 1) – Durchführung

- Einführungsvortrag halten
- Rahmen grob festlegen (wenn sinnvoll: Zahlen, Daten, Fakten – bspw: Was ist wie oft betroffen?)
- Prozessmapping (Wer macht was?)
- Möglichkeiten für Prozessverbesserungen finden („Blitze")
- Verbale Beschreibung der Probleme
- Einschätzung des mit der Verbesserung verbundenen Aufwands und Nutzens
- Bearbeitung der ausgewählten Probleme mit „3-Schritt-Methode" (vgl. Kapitel 4.2, Level 3)
- Gelöste und nicht gelöste Probleme mit Verantwortlichkeiten und Zielterminen auf Maßnahmenplan eintragen
- Termin für Level 3-Check mit Teilnehmerkreis vereinbaren (vgl. Kapitel 4.2, Level 3)
- Abschlusspräsentation (Teilnehmer präsentieren Prozess, Probleme und deren Lösungsansätze bzw. den Maßnahmenplan + abschließende motivierende Worte von Change-Manager und Vorsitzendem der Unternehmensleitung)
- Nachbereitung durch die Moderatoren
  - Ergebnisse für Ablage im PC-System aufbereiten (PDF erstellen)
  - Maßnahmenplan ins EDV-System einpflegen und Workflows für Maßnahmenverantwortliche (siehe Maßnahmenplan) erzeugen

Level 3 (Phase 2) – Vorbereitung

- Gegenseitiges Informieren/Abstimmen der Moderatoren
  - Auswahl einer Schnittstelle bzw. Blick in den Jahresplan (sofern vorhanden)
  - Individuelles Vorgespräch mit der Abteilung „Interner Kunde": Dieser soll „Wunschliste" für Verbesserungen schreiben
  - Vorgespräch auch mit dem Leiter der Abteilung „Interner Lieferant": Beide Abteilungsleiter sollen

Teilnehmer festlegen, mindestens zwei aus ihrer Abteilung, insgesamt höchstens zehn
- Einladung der Teilnehmer zu Vorgespräch
- Vorgespräch: Abstimmung mit den Teilnehmern (Inhalt, Ablauf, Ziele)
- Einladung zur Abschlusspräsentation: alle Mitarbeiter der beiden teilnehmenden Abteilungen sowie die Abteilungsleiter, ggf. die Unternehmensleitung, den Lenkungsausschuss, die Personalleitung und den Betriebsrat
- Raum für Veranstaltung reservieren und passend herrichten:
  - Stühle (Wie viele Mitarbeiter nehmen teil?)
  - Flipchart und Stifte für Ideenfinden
  - Metaplan- / Pin-Wände
  - Vollständiger Moderatorenkoffer:
    - Runde und eckige weiße und farbige Metaplankarten
    - Stifte in verschiedenen Farben
    - Pinwandnadeln
    - Kleber
    - Schere
    - Große Post-it-Kleber für Prozess-Mapping
    - Digitalkamera für Dokumentation
- Persönliche Vorbereitung

Level 3 (Phase 2) – Durchführung

- (im Wesentlichen wie Phase 1)
- Ausnahme: Abschlusspräsentation
  (Abschließende Diskussion mit allen Mitarbeitern der beiden teilnehmenden Abteilungen sowie den beiden Abteilungsleitern)

6. Wie läuft eine Abschlusspräsentation ab?

Abschlusspräsentationen

Level 1

- Zusammenkommen in einem Raum mit einer ausreichenden Anzahl Sitzplätze; Aufbau wie im Kino,

Geschäftsleitung und Abteilungsleiter sitzen vorne (eventuell denselben Raum wählen wie für die Einführungsveranstaltung)
- Feedbackrunde: Moderatoren fragen von vorne nach hinten oder reihum jeden Teilnehmer, wie er/sie den Workshop erlebt hat bzw. was das persönliche Highlight war

Diese symbolträchtige Abfrage verdeutlicht jedem einzelnen Teilnehmer, dass für den Veränderungsprozess jede einzelne Meinung zählt. Von „Endlich hatten wir mal Zeit dafür" bis „Das müssten wir häufiger machen" gibt es eine Vielzahl positiver Rückmeldungen. In diesen Rückmeldungen kommt oft auch Erstaunen der Mitarbeiter darüber zum Ausdruck, wie viel sich an diesem einen Tag bewegt hat, genauer: wie viel sie selbst bewegt haben. Auf die wirklich seltenen offenen Nörgeleien bei solchen Stimmungsabfragen sollte man ebenso offen mit einem freundlichen „Danke für die ehrliche Rückmeldung" reagieren und mit einer Frage an den Sitznachbarn des Nörglers einfach weitermachen. Von Dutzenden Level 1-Workshops, die ich geleitet habe, gab es keinen, in dem die Grundstimmung am Ende nicht eindeutig positiv war. In den USA habe ich sogar mal ein mit Inbrunst geäußertes „God, we needed that!" vernommen.

- Zeigen der Entwicklung vom unaufgeräumten Arbeitsplatz hin zu einem Bereich, in dem man einen Überblick über die Gestaltungsmöglichkeiten für Informations- und Materialfluss hat; das Ganze mittels eines selbst erstellten Video-Clips oder einer musikalisch untermalten Power-Point-Präsentation. Die Bilderfolge sollte zeigen:
  1. Vorher Bilder (in vielen Abteilungen ein richtiger „Saustall", vgl. Bilder in Kapitel 4.2, Level 1)
  2. Aktivitäten (Aussortieren unnötiger Dinge am eigenen Arbeitsplatz, Wegtragen von überflüssigem Papier, Ordnern, Büromaterial, Werkzeugen, Schrott etc.)
  3. Sauberere und ordentliche Arbeitsplätze

Dies führt abermals zu viel Begeisterung und Spaß, denn jeder sieht noch einmal, wie die Arbeitsbereiche vor dem Level 1-Workshop ausgesehen haben und wie sie nun aussehen. Auf diese Weise wird noch einmal subtil wahrgenommenen „Wir haben richtig etwas bewegt". Dabei ist das WIR mindestens so wichtig, wie die Tatsache, dass etwas bewegt wurde. In vielen Fällen ist es so, dass die gesamte Abteilung erstmals etwas gemeinsam getan hat. Hier wird deutlich, wie aus dem Nebeneinander schrittweise ein Miteinander wird (vgl. Kapitel 4.1).

- Dann präsentiert der frisch gewählte abteilungsinterne Prozess-Begleiter (oder bei mehreren kleineren Abteilungen: die frisch gewählten abteilungsinternen Prozessbegleiter) alle weiteren Ideen mit einem ungefähren Zeitplan, bis wann diese diskutiert und die entsprechenden Maßnahmen umgesetzt sein werden.
- Ausblick: Wie geht's weiter? Der Moderator / die Moderatoren skizzieren einen Fahrplan, wie es weitergeht, wann der nächste Level 1-Workshop stattfindet und wann Level 2 eingeführt wird.
- Abschließende motivierende Worte, jeweils von:
  - Abteilungsleiter/-n
  - Change-Manager
  - Vorsitzender der Unternehmensleitung – Die positive Stellungnahme des Vorsitzenden der Unternehmensleitung ist in dieser Phase einer der wichtigsten Erfolgsfaktoren!

Wertschätzung ist ein wichtiger Erfolgsfaktor

Level 2

- Zusammenkommen in einem Raum oder – wenn möglich, zum Beispiel in einem Großraumbüro – im unmittelbaren Arbeitsumfeld
- Präsentation und abschließende Diskussion der neu gefundenen Standards, die alle auf Metaplan- / Pin-Wänden visualisiert sind
  - Alle Teilnehmer/Zuhörer stehen (wenn die Präsentation im unmittelbaren Arbeitsumfeld stattfindet)

- Es präsentiert jeweils einer aus der Arbeitsgruppe, die den jeweiligen Standard erarbeitet hat
- Präsentation weiterer Ideen mit einem ungefähren Zeitplan, bis wann diese diskutiert und die entsprechenden Maßnahmen umgesetzt sein werden
- Ausblick: Wie geht's weiter?
- Abschließende motivierende Worte von: Abteilungsleiter/-n, Change-Manager, Vorsitzender der Unternehmensleitung

Level 3

- Im Idealfall: Zusammenkommen in dem Raum, in dem der Level 3-Workshop stattgefunden hat (Aufnehmen der „Atmosphäre")
- Präsentation des Prozess-Mappings, der gefundenen Verbesserungspotenziale und der definierten bzw. im Idealfall bereits umgesetzten Maßnahmen
- Gegebenenfalls / auf ausdrückliche Anfrage durch das Publikum:
  - Präsentation und Diskussion des Aufwand-Nutzen-Diagramms
  - In Phase 1: Präsentation und Diskussion der Wege, wie die Lösungen gefunden wurden (Vgl. Kapitel 4.2: Beschreibung des Problems → Ursachen des Problems → Lösung des Problems)
  - In Phase 2: angemessene Diskussion der Probleme, Ursachen und Lösungen mit allen Mitarbeitern der beiden teilnehmenden Abteilungen
- Abschließende motivierende Worte von Change-Manager und Vorsitzendem der Unternehmensleitung (sofern anwesend)

Anmerkung: Einen Ausblick auf weitere Aktionen wie bei der Einführung von Level 1 und Level 2 gibt es bei Level 3 nicht, weil mit jedem Level 3-Workshop in den allermeisten Fällen in sich geschlossene Probleme bearbeitet werden.

7. Sind Sie dagegen, dass an den Workshops Führungskräfte teilnehmen?

Level 1 nie ohne den Vorgesetzten

Na ja, es kommt auf den Workshop und die Führungskräfte an. Bei Level 1 bin ich sogar strikt dafür, dass die Führungskräfte teilnehmen – mit gutem Beispiel voran!

Bei Level 2 und Level 3 habe ich jedoch in mehreren westlichen Kulturkreisen – mit Ausnahme eines mittelgroßen Unternehmens in den USA – überwiegend die Erfahrung gemacht, dass die Einbindung von Führungskräften in den Prozess der Problemdefinition bzw. der Problemlösung nicht von Vorteil ist.

In Level 2-Workshops führt die Einbindung der entsprechenden Führungskräfte nicht selten dazu, dass diese bereits recht früh eigene Vorschläge für die Verbesserung von Arbeitsabläufen in den Workshop einbringen. In der Folge äußern Mitarbeiter weitere Vorschläge eher spärlich oder überhaupt nicht mehr. Dies ist ein typisches Gruppenphänomen, das auftritt, wenn der formelle Führer (zu) früh äußert, wohin sich die Gruppe aus seiner Sicht bewegen sollte. Entsprechend bin ich der Meinung, dass das Verbesserungspotenzial einer Abteilung oft nicht bestmöglich genutzt wird, wenn die Vorgesetzten nach der gemeinsamen Einführungspräsentation aktiv an Level 2-Workshops teilnehmen. Ja, es gibt Ausnahmen, auch in Deutschland. Aber, wie der Begriff schon sagt: Es sind Ausnahmen – auch wenn diese Ausnahmen in manchen Unternehmen erfreulich gehäuft auftreten.

Level 3 am besten ohne Vorgesetzte

In Level 3-Workshops neigen Führungskräfte bedauerlicherweise dazu, Missstände die sich im Teilprozess ihrer eigenen Abteilung zeigen, auf sich selbst und ihre Führungsleistung zu projizieren. Entsprechend konnte ich schon mehrfach beobachten, wie Führungskräfte dann eifrig darum bemüht waren, Fehler ihres Teilprozesses entweder „wegzudiskutieren" oder konsequent deren Bedeutung herunterzuspielen – getrieben von der Angst, auf der Abschlusspräsentation könnten sie vor der Unternehmensleitung schließlich selbst als Problem dastehen, wenn es in ihrem Bereich viele Probleme gibt. Ein schlechter Prozess kann jedoch eine Vielzahl von Ursachen haben. Nur eine davon ist die Führungsleistung. Darüber hinaus ist keineswegs sicher, dass an den Stellen, an denen ein Prozess Schwächen zeigt, auch die Ursachen dieser Schwächen zu finden sind. Oft tauchen im ersten Schritt nur die Symptome auf.

Mit der richtigen Besetzung des Workshops gewinnt man viel, denn im Gegensatz zu den Führungskräften haben die unmittelbar im Prozess agierenden Mitarbeiter – die „Bescheidwisser" – ein eigenes und vitales Interesse daran, die Probleme ihrer täglichen Arbeit in den Griff zu bekommen. Daher plädiere ich stets dafür, Prozessverbesserungen nach Möglichkeit mit den Bescheidwissern durchzuführen.

Auf der Abschlussdiskussion können alle mitdiskutieren

In der Abschlussdiskussion des Workshops bietet sich den Führungskräften dann ausreichend die Möglichkeit, die gefundenen Ideen und die entsprechend anstehenden Maßnahmen zu diskutieren – oftmals aber einfach auch nur: zu sehen und zu verstehen, was sich losgelöst von jeglicher Prozessbeschreibung im täglich gelebten Prozess tatsächlich abspielt.

Und, liebe Führungskräfte unter den Lesern: Sie sollten sich vor Augen führen, welche Schätze Ihre Mitarbeiter im Rahmen von Verbesserungsworkshops zu Tage fördern. Mit jedem verbesserten Ablauf kommen Sie Ihren eigenen unternehmerischen Zielen und damit natürlich auch der Erreichung Ihres eigenen variablen Gehaltsanteils näher. Dafür sollten Sie dankbar sein und entsprechend nicht mit allzu viel Skepsis in die Abschlusspräsentation gehen.

8. Wie findet man die passenden Level 2-Workshop-Themen?

Themen wollen erfragt werden

Eine oft gestellte Frage ist die, wie man denn an Themen für Level 2-Workshops kommt. Im Wesentlichen gibt es einen Weg: Man fragt die Mitarbeiter – vor dem Workshop oder am Anfang des Workshops.

Im Zuge des ersten Level 2-Workshops einer Abteilung gehe ich meistens so vor, dass ich nach dem Einführungsvortrag Themenvorschläge erfrage. Diese notiere ich dann in der Reihenfolge ihrer Nennung auf einem Flip-Chart. Im Nachgang dazu lasse ich die Vorschläge von den Teilnehmern gewichten, indem ich jeden

Teilnehmer bitte, die beiden Themen zu nennen, deren Bearbeitung ihm am dringlichsten erscheint. Aufbauend auf dieser Gewichtung bilde ich Arbeitsgruppen, je nach Teilnehmerzahl und vorhandenen Moderatoren.

Die zweite Möglichkeit, an Themen zu kommen, besteht darin, die Mitarbeiter der Abteilung im Vorfeld Themen finden zu lassen, beispielsweise auf einer Ideensammlung. Dies setzt jedoch voraus, dass die Teilnehmer bereits wissen, worum es bei Level 2 geht. Folglich ist dies in der Regel erst ab dem zweiten Level 2-Workshop einer Abteilung möglich. Dann jedoch ist oft zu beobachten, dass begleitend zur Tagesarbeit Themen so gut vorbereitet werden, dass sie beim Workshop mit allen Beteiligten nur noch umgesetzt werden müssen.

9. Müssen immer alle Mitarbeiter an Level 1- und Level 2-Workshops der Abteilung teilnehmen?

Möglichst viele Mitarbeiter sollten teilnehmen

Im Hinblick auf die Entwicklung des Miteinanders innerhalb einer Abteilung ist es natürlich am besten, wenn an einem gemeinsamen Workshop möglichst viele Mitarbeiter einer Abteilung teilnehmen. Bei Level 1 plädiere ich dafür, dass möglichst alle teilnehmen. Jeder sollte die oben beschriebenen positiven Erfahrungen machen können und am Entstehen des WIRs teilhaben. Und letztlich sind es wenige Abteilungen, in denen nicht alle Kollegen teilnehmen können, weil immer jemand für den Kunden erreichbar sein sollte. In Vertriebsabteilungen beispielsweise lasse ich ganz gerne einen „Notdienst" einrichten. Der oder die Mitarbeiter, die dann nicht am Workshop teilnehmen, sind garantierte Teilnehmer für den nächsten Workshop. An der Abschlusspräsentation nimmt jeder teil.

Bei Level 2-Workshops ist es so, dass an der faktischen Workshop-Arbeit oft nicht die gesamte Abteilung teilnimmt. Mit dem unter Frage 8 beschriebenen Prozess zur Auswahl passender Themen hat zwar grundsätzlich jeder Mitarbeiter die Möglichkeit, die Themenwahl zu beeinflussen und letztlich auch, sich für einzelne Arbeitsgruppen zu empfehlen. Jedoch besteht – um eine fruchtbare Diskussion zu ermöglichen – jede der zwei bis drei Arbeitsgruppen aus höchstens zwei bis fünf Mitarbeitern. So kommt es nach dem gemeinschaftlichen Festlegen von Themen in größeren Abteilungen regelmäßig dazu, dass nicht alle Mitarbeiter in die faktische Workshop-Arbeit eingebunden sind und so im Bedarfsfall auch die Einrichtung eines kundenorientierten „Notdienstes" innerhalb der Abteilung entsprechend unproblematisch ist. Zur Abschlusspräsentation sollten dann jedoch alle Mitarbeiter anwesend sein, um die neu gefundenen Standards kennen zu lernen und diese diskutieren und damit auch annehmen zu können.

10. Befürworten Sie unternehmensweit einheitliche Standards?

Abteilungsspezifische Lösungen zulassen

Grundsätzlich würde ich sagen, dass es von Vorteil ist, unternehmensweit einheitliche Vorgehensweisen zu bestimmten Themen zu haben. Ich habe jedoch mehr als einmal die Erfahrung gemacht, dass der Wunsch nach Einheitlichkeit viel Kreativität und Verbesserungspotenzial erschlägt. Daher halte ich es für essentiell, in jeder Abteilung eigene Lösungen zuzulassen, die den individuellen Arbeitsbedingungen in der Abteilung und den Anforderungen an diese Abteilung bestmöglich gerecht werden. Auch hier sind es meiner Meinung nach wieder die „Bescheidwisser", denen aufmerksam zugehört werden sollte. Ich möchte dazu ein Beispiel aus einem Industriekonzern geben, den ich bei der Einführung dieses Verbesserungsprogramms begleitet habe:

Dieses Unternehmen hat elf verschiedene Geschäftsbereiche und ebenso viele Vertriebsprozesse. Alle Vertriebsbereiche verfolgen ähnliche Ziele und alle Prozesse beinhalten vergleichbare Aufgaben, aber in unterschiedlicher Ausprägung, denn jeder Prozess hat etwas andere Schwerpunkte.

Ein Geschäftsbereich beispielsweise erhält seit jeher gut sechs Dutzend Anfragen pro Jahr. Die Anfragen sind alle qualitativ hochwertig und werden daher alle bearbeitet. Mit den jeweils umfangreichen Angeboten werden zahlreiche Aufträge erzielt; die Trefferquote war also schon immer recht hoch. Zur Verbesserung der Vertriebsleistung konzentriert man sich in diesem Geschäftsbereich auf das Finden neuer Einsatzbereiche der

Produkte; die Bearbeitung von Angeboten scheint hier gut zu funktionieren.

Ein anderer Geschäftsbereich (mit anderen Produkten und Märkten) erhält bei vergleichbarer personeller Kapazität jährlich zirka 1.500 bis 2.000 Anfragen. Hier mussten sich die Mitarbeiter dadurch behelfen, dass sie eine Checkliste entwickelten, die es ihnen nun erlaubt, jede Anfrage zu bewerten – zum einen nach der Wahrscheinlichkeit, mit der diese Anfrage später zum Auftrag wird und zum anderen nach dem mit einem potenziellen Auftrag verbundenen wirtschaftlichen Risiko für das Unternehmen. Seit der Einführung dieser Checkliste werden Angebote unter Berücksichtigung der beiden erwähnten Kriterien erstellt, und die Trefferquote hat sich massiv erhöht; mit der gleichen Personaldecke werden mehr Aufträge erzielt.

Ein dritter Geschäftsbereich – hier werden Serienprodukte gefertigt – könnte es sich gar nicht erst leisten, Zeit mit der Bearbeitung von Anfragen zu verbringen. Bei einer mit den obigen Beispielen vergleichbaren Personaldecke im Vertrieb verlassen jährlich mehrere Tausend Produkte das Haus. Hier entwickelte man einen Produktkonfigurator, mit dem sich Kunden auf der Homepage des Unternehmens das für ihren Bedarfsfall passende Produkt zusammenstellen und bestellen können. Der Vertrieb dieses Geschäftsbereichs konzentriert sich nahezu ausschließlich auf strategische Aufgaben, wie die Erschließung neuer Märkte und die Betreuung von Schlüsselkunden.

Vereinheitlichung von Prozessen ist nicht immer sinnvoll

Eine – in diesem Fall sinnlose – Vereinheitlichung der Vertriebsabläufe der drei Geschäftsbereiche innerhalb desselben Konzerns hätte nur Chaos angerichtet und jeder der drei Vertriebsabteilungen Potenziale genommen, die offensichtlich nur abgerufen werden mussten. Für die jeweils hervorragenden Lösungen hat das Unternehmen nicht einen Cent extra bezahlen müssen. Lediglich musste den „Bescheidwissern" vertraut werden. Vergleichbar sieht es in allen anderen betrieblichen Funktionen aus, von der Entwicklung und der Konstruktion über das Projekt-Management, den Einkauf und die Fertigung bis hin zu Montage und Logistik: von Standort zu Standort und von Produkt zu Produkt variieren die Arbeitsabläufe in diesem Unternehmen etwas – stets im Sinne des Kunden.

Wenn sinnvoll, sollten gute Lösungen transferiert werden

Bei hoch standardisierten Produkten, wie sie zum Beispiel im industriellen Massengeschäft zu finden sind, sieht dies zugegebenermaßen anders aus. Dort muss es im Interesse des Unternehmens sein, dass gute Lösungen eines Standortes auf alle vergleichbaren Standorte übertragen werden. Schließlich muss das Rad nicht zwei- oder gar fünfmal erfunden werden.

11. Warum sind Standards so wichtig?

Mit dem Thema Standards geht es nicht darum, Kreativabteilungen, bspw. einer Werbeagentur, zu „überregulieren". Es geht darum, den Mitarbeitern Sicherheit bei ihren Abläufen zu geben. Zur Verdeutlichung möchte ich mit Ihnen gerne den folgenden Gedankengang durchgehen:

Nehmen wir mal an, ein Unternehmen – ein Hersteller von Fernsehgeräten oder ein Automobilhersteller – vertritt die Auffassung „Gut ist gut genug". Die Mitarbeiter dieses Unternehmens leisten wirklich gute Arbeit. Sie nutzen ihre Zeit zu 90 Prozent für produktive Tätigkeiten – vorbildlich. Sie machen fast alle Arbeiten fehlerfrei, auch dies zu zirka 90 Prozent. Oberflächlich betrachtet könnte man denken, es handelt sich um ein Unternehmen, dessen Kunden zufrieden sein können.

Nun sind wir – als interner oder externer Berater – damit beauftragt worden, dieses Unternehmen zu beraten und fangen an nachzudenken: Wenn jede Abteilung 90 Prozent Leistung erbringt und ein Auftrag von der Erteilung über die komplette Bearbeitung bis zur Auslieferung (nur) vier Abteilungen durchlaufen muss (in den meisten Unternehmen sind es mindestens 10, an Standorten mit mehreren Tausend Mitarbeitern oft sogar 40 und mehr), mit welcher durchschnittlichen Leistung muss sich dann ein Kunde zufrieden geben?

$0,9 \times 0,9 \times 0,9 \times 0,9 = 0,66$ – also mit nur 66 Prozent. Das ist schlecht!

Nun ist es beileibe nicht so, dass der Kunde in einem Elektrofachmarkt einen Fernseher ohne Gehäuse angeboten bekommt – womöglich mit dem Verweis darauf, dass in jeder Abteilung des Herstellerunternehmens im Durchschnitt 90 Prozent Leistung erbracht würde, und das sei schließlich richtig gut. Auch ein Autohaus bietet seinen Kunden kein Auto ohne Armaturenbrett oder ohne Türschlösser an. Die Güter verlassen weitgehend fehlerfrei das Haus des jeweiligen Herstellers – aber um welchen Preis? Um den Preis kostspieliger Nacharbeit!

Je mehr Standards, desto weniger Nacharbeit

Gehen wir dazu ein konkretes Beispiel durch, das ich so oder ähnlich schon in verschiedenen Unternehmen vorgefunden habe, die im industriellen Projekt-Geschäft tätig sind: Der Vertrag zur Lieferung eines Produkts wird vom verantwortlichen Mitarbeiter der Vertriebsabteilung ausgehandelt. Die Unternehmensleitung freut sich über den Auftragseingang. Gratulation! Im Verlauf des Projektes stellt sich jedoch heraus, dass der Vertrag hier und da Lücken aufweist und das eine oder andere nachverhandelt werden muss. Dies fällt jedoch nicht dem Vertriebsmitarbeiter auf, sondern dem Projekt-Manager, dem der Auftrag zwischenzeitlich übergeben wurde und der sich im Verlauf seiner Arbeit die von ihm benötigten Informationen beim Vertriebsmitarbeiter erfragen muss – Informationen, die ihm eigentlich schon vorliegen sollten. Ähnlich ergeht es dem Einkäufer, der Zukaufteile bestellen möchte, weil ihm mittlerweile entsprechende Bestellanforderungen seitens des Projekt-Managers vorliegen. Jedoch kann er seine Bestellungen nicht ausführen, weil die Bestellanforderungen lückenhaft sind, dies wiederum, weil der Vertrag immer noch nicht vollständig ausgehandelt ist. Es kommt zu wiederkehrenden Rückfragen seitens des Einkäufers an den Projekt-Manager und von diesem an den Vertriebsmitarbeiter. Ein Mitarbeiter in der Fertigung oder in der Qualitätsprüfung des Wareneingangs ist dann bei der mittlerweile fortgeschrittenen Auftragsbearbeitung unglücklich über lückenhafte Informationen seitens des Einkäufers und die Monteure begeben sich am Ende möglicherweise mehrfach auf die Suche nach Teilen, die bereits längst aus der Fertigung hätten zugeliefert werden sollen.

So kommt es zu zahllosen Rückfragen oder sogar zum Rücksenden von Werkstücken, falls diese aufgrund mangelhafter Informationen fehlerhaft gefertigt wurden. Oder in Anlehnung an die oben erzählte Geschichte anders ausgedrückt: Jeder ist gezwungen „Hühner" – Informationen oder Werkstücke – zu

„fangen", die bei der Übergabe eines Vorgangs an den nächsten Funktionsbereich eigentlich vorliegen sollten: fehlerfrei, zum richtigen Zeitpunkt, in der richtigen Menge und beim richtigen Mitarbeiter.

Standards schaf-
fen Sicherheit
und minimieren
Rückfragen

Die Lösung dieses Problems liegt in der kontinuierlichen Verbesserung durch das gemeinschaftliche Schaffen von Standards. Die Standardisierung von Abläufen führt für jeden einzelnen Vorgang zur besten, einfachsten und sichersten Art und Weise etwas zu tun.

12. Hemmen standardisierte Abläufe nicht die Kreativität der Mitarbeiter?

Mit Bezug zu der in Kapitel 4.2 unter dem Punkt „Ablagestandards" und unter Frage 11 geführten Diskussion möchte ich diese Frage vielleicht so beantworten: Gott sei Dank hemmen Standards die Kreativität der Mitarbeiter im Tagesgeschäft. Hingegen können und sollen die Mitarbeiter viel Kreativität zeigen, und zwar beim Finden exzellenter Standards für jegliche Abläufe.

13. Warum sind viele kleine Schritte so viel mehr wert als wenige große Schritte?

Oft beobachte ich, dass Unternehmen mit ihren Verbesserungsbemühungen daran scheitern, dass sie versuchen, mit großen Schritten möglichst schnell möglichst viel zu erreichen. Dabei ist vielleicht die Tendenz festzustellen, dass dies für große Unternehmen mehr zutrifft als für kleine oder mittlere Unternehmen. In jedem Fall sind bei dem Versuch, die vorhandenen Probleme so anzugehen, mehrere Dinge zu beobachten:

Vier Argumente
gegen große
Schritte

Erstens ist es nicht möglich, für vielschichtige Probleme Universallösungen zu finden. Die so gefundenen Lösungen können für Teilprobleme nichts anderes sein als zweitklassig. Zweitens sind die „großen" Lösungen meist zu komplex, als dass sie tatsächlich dauerhaft gelebt werden und als dass deren Umsetzung wirksam kontrolliert werden könnte. Nach kurzer Zeit werden sie von den Mitarbeitern nur noch zum Teil umgesetzt; die Mitarbeiter vertrauen lieber auf ihre individuelle Arbeitserfahrung und ihre eigenen Wege. Drittens überfordern große Schritte oft nicht nur die Änderungsbereitschaft eines Unternehmens, sondern gefährden darüber hinaus das „politische" Gleichgewicht. Und viertens kosten die großen Schritte meistens eine Menge Geld.

Zugegebenermaßen sind große Schritte nicht an allen Stellen zu vermeiden. Wie ich in früheren Publikationen schon deutlich gemacht habe, bin ich der Überzeugung, dass es unerlässlich ist, unternehmensweit über ein einheitliches Datenverwaltungssystem zu verfügen. Erst so wird es überhaupt möglich, Informationen und Material mit minimaler Fehlerquote in eine Art Takt zu bringen. Aufbauend auf diesem einen Großprojekt sollten dann aber kleine Schritte folgen, die für jeden Mitarbeiter verträglich sind, vor allem aber: die von jedem Mitarbeiter mitgegangen werden können und dann von einer Mehrheit aktiv getragen werden.

14. Einführung neuer Standards: Wie berücksichtigt man Schichtbetrieb?

In den Produktionsbereichen der meisten größeren Industrieunternehmen wird im Mehrschichtbetrieb gearbeitet. Und auch in manchen Bürobereichen ist Schichtbetrieb ein Thema, so zum Beispiel in Call-Centern oder an so genannten EDV-Helpdesks, die einen großen Teil des Tages zur Verfügung stehen müssen. Zunehmend findet man Schichtmodelle sogar in Konstruktionsabteilungen großer Unternehmen, die damit teure Investitionen in zusätzliche CAD-Arbeitsplätze umgehen.

Beste Lösung:
Alle nehmen teil

In Unternehmensbereichen mit Schichtbetrieb ist es ebenso wichtig wie in Abteilungen ohne Schichtbetrieb, dass jeder Mitarbeiter irgendwie die Möglichkeit hat, sich in den Verbesserungsprozess einzubringen. Dazu ist der einfachste Weg, den betroffenen Bereich einfach für die Dauer eines Workshops still zu legen und alle Mitarbeiter aller Schichten am Workshop teilnehmen zu lassen. Mit der Teilnahme aller Betroffenen erreicht man es, dass das gesamte verfügbare Know-how in Verbesserungen einfließen kann und bestmögliche Lösungen erarbeitet werden. Hinzu kommt, dass Veränderungen umso mehr von der Belegschaft getragen werden, je mehr sich die Mitarbeiter einbringen dürfen. Das heißt: Je mehr man die Mitarbeiter in die Ideen- und Lösungsfindung sowie Umsetzung mit einbezieht, desto nachhaltiger ist die erzielte Verbesserung.

Wem es zuviel Personaleinsatz ist, die gesamte Abteilung teilnehmen zu lassen, oder wer für seinen Bereich zu dem Schluss kommt, dass die Abläufe nicht gänzlich unterbrochen werden dürfen (oft in vollautomatischen Fertigungen der Fall), der könnte an Stelle einer Vollbesetzung auch einen Verbesserungsworkshop mit einer Auswahl von Mitarbeitern aus allen Schichten organisieren. Um bei solchen Workshops nachträgliche Diskussionen so gering wie möglich zu halten, ist es sehr wichtig, die informellen Gruppenführer aller Schichten am Workshop zu beteiligen. Darüber hinaus sollten am Workshop auch die Befürworter und die Skeptiker von Veränderung aller Schichten teilnehmen – sowie natürlich ein paar ganz „normale" Mitarbeiter. Das Ziel dieser Art der Workshopbesetzung besteht darin, alle „wesentlichen" Mitarbeiter am Workshop teilnehmen und zu einer Einigung kommen zu lassen. Weiterhin sollte jeder Mitarbeiter, der nicht am Workshop teilnimmt, im Vorfeld die Möglichkeit haben, Ideen einzubringen und diese den Kollegen mitzugeben, die dann im Workshop konkrete Verbesserungen erarbeiten. Auf diese Weise hat jeder Mitarbeiter, der nicht teilnimmt, trotzdem eine zumindest grundlegende Möglichkeit, seine Ideen zu platzieren und wird nicht gänzlich ausgeschlossen.

Die informellen Gruppenführer müssen teilnehmen

Auf den ersten Blick mag dies im Vergleich zur Vollbesetzung eines Workshops als die pragmatischere Variante erscheinen. Die Herausforderung besteht hierbei jedoch darin, die Mitarbeiter, die nicht unmittelbar in die Verbesserungsaktivitäten einbezogen sind, für die letztendlichen Lösungen zu begeistern. Um diese Mitarbeiter mit den neu erarbeiteten Standards vertraut zu machen, sollte jede Schicht unter der Leitung des jeweiligen Schichtführers zeitnah nach dem Workshop zu einer Informationsrunde bzw. Diskussion der neuen Standards zusammenkommen. Mit der Unterstützung der Workshopteilnehmer aus der jeweiligen Schicht werden die neuen Standards den übrigen Mitarbeitern nahe gebracht, Vorteile und Entstehungsgeschichte der neuen Standards diskutiert.

Zwar funktioniert dies in den meisten Fällen recht gut, effizienter ist es jedoch, wie bereits erwähnt, den Mut zu haben, den betroffenen Bereich tatsächlich für die Dauer des Workshops still zu legen, und alle Mitarbeiter zu beteiligen. Auf diese Weise erhält man nicht nur für die Verbesserungen das gesamte verfügbare Know-how, vor allem fühlt sich niemand zurückgesetzt. Dies mag für Rationalisten nicht vordergründig sein, ist für die dauerhafte Motivation der Belegschaft, sich in den Verbesserungsprozess einzubringen jedoch ganz wesentlich.

15. Können Sie noch ein, zwei Beispiele für typische Verbesserungsmaßnahmen nennen?

Bei Vorträgen taucht oft die Frage auf, ob ich denn Beispiele für typische Verbesserungsmaßnahmen geben könnte. Daher möchte ich Ihnen hier einfach noch mal zwei Beispiele nennen, eines aus der Produktion, eines aus der Bürowelt:

Beispiel aus der Produktion

Es könnte zum Beispiel darum gehen, dass Mitarbeiter des Montagebereichs eines Maschinenbauunternehmens im ersten Schritt ihre individuell und gemeinsam genutzten Werkzeugschränke aufräumen, sich die neue angelegte Ordnung zum Standard machen und so Suchzeiten reduzieren. Im nächsten Schritt stellen sie dann vielleicht fest, dass die Werkzeugschränke jetzt zwar aufgeräumt sind und sich das Werkzeug schneller finden lässt, dass die Schränke jedoch ungeschickt platziert sind; sie stehen immer noch ein Stück zu weit von den zu montierenden Maschinen entfernt, so dass unnötige Wege entstehen. Man hätte Vorteile, wenn die Schränke mobil wären und sich individuell an die passende Stelle der zu montierenden Maschinen rollen ließen. Also bauen sich die Mitarbeiter im nächsten Workshop passende Wägelchen. Dann stellen sie fest, dass sich die Werkzeuge, die im Rahmen der Montage einer Maschine oft und wiederkehrend verwendet werden, mit Magneten versehen lassen, so dass diese für den Zeitraum der Montage an der Maschine „angebracht" werden können und so noch besser verfügbar werden. Auch dieses „Anbringen" lässt sich wieder standardisieren, und so weiter.

Für die Bürowelt lässt sich das oben bereits skizzierte Problem der Bestellanforderungen nochmals gut aufgreifen: In der Vertriebsabteilung eines Investitionsgüterherstellers wurde ein Auftrag erzielt und entsprechend ins unternehmensweit einheitliche Datenverarbeitungssystem eingegeben. Sobald die Eingabe auf „Okay" gesetzt ist, meldet sich das DV-System in der Einkaufsabteilung, man möge dieses oder jenes für den Auftrag benötigte Zukaufteil bestellen. Leider findet der Einkäufer im DV-System jedoch keine Spezifikationen, die ihm das Zukaufteil so beschreiben, dass er es auch bestellen könnte. So wendet er sich an den zuständigen Projekt-Manager, dem das Projekt vom Vertriebsmitarbeiter übergeben wurde und der im DV-System als Ansprechpartner vermerkt ist. Dieser sagt ihm jedoch lediglich, dass auch er ihm nicht weiterhelfen könne, weil der Vertrieb den Vertrag – wie üblich – lückenhaft ausgehandelt hat und diese Informationen erst begleitend zum Projekt ins Haus kommen werden. Die Zeitpunkte dafür sind nicht vorhersehbar und variieren von Auftrag zu Auftrag. So findet für jeden Auftrag wiederkehrend eine Vielzahl überflüssiger (und frustrierender) abteilungsübergreifender Rückfragen und Besprechungen statt. Das Ergebnis solcher oder ähnlicher Verbesserungspotenziale sind dann oft Checklisten, ohne deren vollständiges Abarbeiten ein Vorgang nicht mehr an den nächsten Bearbeitungsschritt weitergereicht werden darf – in unserem Fall: eine Checkliste für den Vertrieb. Mit Blick auf eine möglichst reibungsfreie Abarbeitung der Aufträge darf kein Vertrag mehr unterzeichnet werden, ohne dass die Checkliste zuvor vollständig ausgefüllt worden ist.

Weitere Beispiele sind:

- das Abarbeiten von Kreditanträgen in einem Kreditinstitut,
- das Weiterreichen von Bestellungen für ein Kraftfahrzeug,
- die Frage, in welchem Zeitfenster auf Anfragen durch Kunden reagiert werden soll,
- die Frage, ob sich vor der Annahme eines Auftrags mit nachfolgenden Arbeitsstufen abgestimmt werden soll (bspw. mit dem Kreditsachbearbeiter oder dem Fertigungsplaner),

- das Schaffen eines Ablagestandards für eine gesamte Abteilung,
- das Einzeichnen von festen Plätzen für die Anlieferung und Abholung von Werkstücken auf dem Hallenboden,
- das Schaffen einer für die Abteilung lückenlosen Stellvertreterregelung,
- die Frage, wie erreichbar die Mitarbeiter einer Abteilung für (interne oder externe) Kunden sein möchte, also bspw. wie lange das Telefon maximal klingeln darf, bevor jemand in der Abteilung es abnimmt,
- die Frage, wie sich die Mitarbeiter eines Unternehmens am Telefon melden,
- die Frage, in welchen zeitlichen Abständen die Mitarbeiter einer Abteilung, bzw. die Abteilungsleiter eines Unternehmensbereichs oder die oberen Führungskräfte eines Unternehmens sich zum Informationsaustausch bezüglich des „Status Quo" treffen,
- das gezielte Erweitern elektronischer Hilfsmittel um bestimmte Funktionen, damit Aufträge besser bearbeitet werden können,
- und so weiter, und so weiter.

16. Wo sollten wir beginnen? Im Büro oder in der Produktion?

Gestatten Sie eine Gegenfrage: Wo sind die Probleme in Ihrem Unternehmen am größten? Wenn es einen Bereich gibt, dessen Probleme im gesamten Unternehmen spürbar sind, würde ich dort beginnen. Wenn jedoch kein unmittelbarer Handlungsbedarf besteht, würde ich in einem unverfänglichen Bürobereich beginnen und dann mit der Einführung immer im Wechsel zwischen Büro und Produktion fortfahren: Bürobereich, Produktionsbereich, Bürobereich, Produktionsbereich, usw. Damit werden zweierlei Signale gesetzt:

Wenn möglich würde ich in einem Bürobereich beginnen

- „Die da oben" machen das auch; kein Bereich genießt Privilegien. Oft wird mit Verbesserungen nur in den Produktionsbereichen angesetzt. Warum dies kurzsichtig ist, habe ich weiter oben ja schon diskutiert.

- Und: Für alle Arbeitnehmer und den Betriebsrat ist es ein wichtiges Signal, dass Verbesserung nicht nur am Ende des Geschäftsprozesses stattfindet, sondern auch am Anfang. Kommt nämlich vom Vertrieb nicht mehr „Futter" für die Bearbeitung ins Haus, endet ein Verbesserungsprozess schnell mit Entlassungen (vgl. Kapitel 3).

17. Wie viele Workshops von welcher Art empfehlen Sie?

Zwar ist diese Frage nicht pauschal zu beantworten, dennoch der Versuch: Meiner Erfahrung nach liegt das Verhältnis von abteilungsinternen Workshops und Schnittstellen-Workshops bei ungefähr 10 zu 1. Bei Unternehmen mit vielen Schnittstellenproblemen oder sehr kleinen Abteilungen verändert sich das Verhältnis zugunsten von Level 3-Workshops.

Warum vergleichsweise wenige Level 3-Workshops durchgeführt werden

Warum der Anteil der Level 3-Workshops, der ausgewiesenen Prozess-Workshops, so niedrig ist? Ja, zugegebenermaßen heißt das Thema, mit dem wir uns nun seit gut 80 Seiten beschäftigen, gemeinhin Prozessverbesserungen. Und sicher ist es naheliegend, davon auszugehen, dass, sobald das 3-Level-Modell eingeführt ist, der Anteil der Level 3-Workshops hoch ist. Schauen wir uns also an, warum ich dies anders sehe:

Besinnen wir uns zunächst auf unser Ziel, Informationen und Material zum „Fließen" zu bringen – fehlerfrei, zum richtigen Zeitpunkt, in der richtigen Menge an die richtige Person. Nehmen wir uns nun jedes dieser Ziele einzeln vor:

Fehlerfrei: Der Ort potenzieller Fehlerentstehung ist die Abteilung. Wenn man entsprechende Fehler beheben will, beraumt man einen abteilungsinternen Workshop an, einen Level 2-Workshop. Auf Level 3-Niveau wird dann lediglich definiert, was ein „Fehler" im Sinne des internen Kunden ist.

Zum richtigen Zeitpunkt: Verantwortlich für die pünktliche Fertigstellung einer Arbeit ist ebenfalls die Abteilung. Will man sich hinsichtlich der Fertigstellung verbessern, landet man in Level 2. Der interne Kunde definiert lediglich, was für ihn „pünktlich" ist (Level 3).

In der richtigen Menge: Be- bzw. verarbeitet werden Informationen und Materialien ebenfalls in den Abteilungen bzw. in den Produktionsbereichen. Auch hier bewegt man sich in Level 2, wenn man unmittelbar bei der Be- oder Verarbeitung Verbesserungen erzielen will. Mit Level 3 wird lediglich definiert, welche Menge aus Sicht des internen Kunden die richtige Menge ist.

An die richtige Person: Auch die Lieferung erfolgt aus der Abteilung heraus. Mit Level 3 wird lediglich die richtige Zielperson transparent gemacht.

Das gesamte Tun wird mit Level 2 verbessert

Somit bleibt festzuhalten, dass mit Level 2 das gesamte Tun eines Unternehmens verbessert wird. Mit Level 3 werden lediglich an den Schnittstellen Standards festgelegt. Um eine griffige Größenordung zu bieten, mag ein Unternehmen mit 600 Mitarbeitern dienen, das ich beim Aufbau dieses Systems begleitet habe. Dort werden jährlich gut 130 Workshops durchgeführt. Knapp 15 davon sind Level 3-Workshops; gut 30 sind Level 1-Workshops, um die Ordnung aufrecht zu erhalten bzw. Angesammeltes auszusortieren. Der gesamte Rest ist Level 2. Zum Vergleich der Erfolg des Unternehmens: Vor Beginn des Programms: 2,7 Prozent Umsatzrendite (EBIT), nach vier Jahren erstmals eine zweistellige Umsatzrendite, nach sieben Jahren konsequenter Verbesserung stabil eine gute zweistellige Umsatzrendite.

18. Wie viele Workshops pro Jahr empfehlen Sie? Wie lange dauern diese Workshops?

Ich möchte hier gerne zwischen der Einführungsphase des Verbesserungsprogramms und dem sozusagen „gesamten Leben des Verbesserungsprogramms" unterscheiden:

In der Einführungsphase sollte meiner Erfahrung nach je ein Level 1-Workshop und ein Level 2-Workshop pro Abteilung durchgeführt werden. Jeder dieser Workshops sollte zweitägig sein, zum einen um das Thema Verbesserung anzuschieben und zum anderen damit sich kein Mitarbeiter so richtig entziehen kann. Beginnt man ein Verbesserungsprogramm mit eintägigen

Workshops, ist der Impuls oft nicht kräftig genug, denn bei den erzielten Verbesserungen bleibt der Wow-Effekt aus, der nach bereits zwei Tagen deutlich zu erleben ist, wenn Mitarbeiter am Ende des Workshops realisieren, was sie alles bewegt bzw. verändert haben. Ein weiterer Effekt, den ich bei eintägigen Auftaktworkshops mehrfach erlebt habe, ist, dass es Mitarbeiter gibt, die am Morgen des Workshops den Kopf einziehen und am Abend, nach dem Workshop, ihren Kopf wieder herausstrecken. Beginnt man hingegen mit zweitägigen Workshops erlebt man dieses Phänomen fast nicht, denn die Mitarbeiter erleben zweitägige Workshops wohl so, als könnten sie sich dem Thema Verbesserung nicht entziehen.

Drei sechsstündige Workshops pro Jahr

Nach der Einführungsphase: Haben im Zuge einer flächendeckenden Einführung (bspw. am gesamten Standort) alle Mitarbeiter die Erfahrung machen können, dass sie es sind, die den Verbesserungsprozess maßgeblich prägen und nicht irgendein externer Berater, dann lautet meine Empfehlung für regelmäßige Verbesserungsaktivitäten: Jährlich in jedem Unternehmensbereich zwei Level 2-Workshops und einen Level 1-Workshop. Dabei denke ich nun an sechsstündige bis eintägige Workshops (vgl. auch Frage 20 sowie Kapitel 4.1). Letztlich sollten sich die Anzahl und der Umfang der Workshops danach richten, wie viel Zeit sich ein Unternehmen für das Thema Verbesserung nehmen möchte. Wenn der allgemeine Leistungsdruck bereits sehr hoch und wenig Zeit vorhanden ist, lohnt es sich kaum, den Druck durch zu viele Workshops zu erhöhen. Der Effekt wäre eine Ablehnung anstelle einer Begeisterung oder zumindest einer Akzeptanz für das Verbesserungsprogramm.

Ich schreibe dies, weil ich schon ein Unternehmen erlebt habe, in dem das Management in Euphorie die Weisung ausgab, jährlich sechs Workshops pro Abteilung durchzuführen. Der damit verbundene Ehrgeiz ist zu loben – wie absehbar, hat man dieses Volumen dort jedoch nicht durchgehalten. Manche Maßnahmen können während eines Kurzworkshops auf Grund ihrer Komplexität nicht vollständig umgesetzt werden; entsprechend trugen die Mitarbeiter dieses Unternehmens einen Teil der Umsetzung mit in ihre normale Arbeitszeit. Nach ungefähr einem halben Jahr hatten diese unerledigten Maßnahmen ein solches Volumen erreicht, dass die Frustration groß war. Daher möchte ich hier herausstellen: Nur umgesetzte Maßnahmen führen zu dauerhafter Motivation und zu der Bereitschaft seitens der Belegschaft, das Verbesserungsprogramms dauerhaft mit zu tragen. Oder mit anderen Worten: Zehn umgesetzte Verbesserungsmaßnahmen sind mehr wert ist als hundert definierte.

Dies vor Augen entscheiden sich manche Unternehmen für größere Einzelaktionen, die dann komplett abgeschlossen werden. Auch ein lobenswerter Gedanke. In der Praxis führt er dazu, dass entsprechende Verbesserungsaktivitäten gerne für eine gesamte Woche oder noch längere Zeiträume geplant werden. Teilnehmer solcher Workshops sind dann jedoch selten für einen nächsten Workshop zu haben, denn es gibt nur wenige Mitarbeiter, die sich mehrfach bereitwillig für einen längeren Zeitraum in Verbesserungstätigkeiten binden lassen.

So komme ich zu meiner Empfehlung: Jährlich in jedem Unternehmensbereich zwei Level 2-Workshops und einen Level 1-Workshop, jeweils sechsstündig oder eintägig – mit genügend Raum zwischen den Workshops, um verbliebene Umsetzungsaktivitäten auch wahrnehmen zu können.

Es gibt Unternehmen, denen dieser Vorschlag hinsichtlich der Bindung von Personal nicht passend erscheint. Diesen Unternehmen empfehle ich als Alternative, sich alle vier Monate zwei Stunden für Level 1 zu nehmen sowie die beiden jährlichen Level 2-Workshops auf 3 x 2 Stunden innerhalb einer Woche zu verteilen, also beispielsweise:

Montagvormittag:	Gemeinsames Finden und Ausarbeiten eines Lösungswegs für im Vorfeld definierte Probleme (vgl. Frage 20).
Dienstagnachmittag:	Verfeinern der Lösung und Beginn der Umsetzung
Donnerstagnachmittag:	Lösungsimplementierung abschließen

19. Welches Instrument sollte man wann einsetzen?

Die Unterteilung in Level 1, 2 und 3 ist zwar sehr hilfreich und strukturiert die Verbesserungsaktivitäten. Hinsichtlich der Vorgehensweise stellt man jedoch nach einer Weile fest, dass die Arbeitsweisen, die den einzelnen Leveln zugeordnet wurden, nicht immer an diese gebunden sind. Beispielsweise wird man nach zwei, drei Jahren der Prozessanalyse für manchen Level 3-Workshop eine Vorgehensweise wählen, die man zu Beginn der Aktivitäten nur im Rahmen eines Level 2-Workshops eingesetzt hätte. Schauen wir uns also einmal genauer an, welches Arbeitsmittel welchen Zweck verfolgt:

Für jeden Zweck das passende Mittel

1. Ich habe Probleme in einem Geschäftsprozess, kann diese jedoch weder orten noch beschreiben: Prozess-Mapping durchführen.

2. Ich weiß, wo das Problem liegt, habe jedoch nur eine ungefähre Vorstellung von diesem Problem und kenne keine Lösungsansätze: Dreistufige Vorgehensweise – erst das Problem beschreiben, dann die Ursachen identifizieren und schließlich die Lösung erarbeiten und umsetzen.

3. Ich kenne das Problem und bin mir sicher, dass ich auch die Ursachen und die Lösung kenne: Machen!

20. Welche Aufbauorganisation empfehlen Sie für das gesamte Verbesserungsprogramm? Und wie baue ich das Programm auf?

Vier Rollen

Nach meiner Erfahrung funktioniert das Verbesserungsprogramm am besten mit den folgenden vier Rollen, die letztlich zu einer bestimmten Aufbauorganisation führen:

- Change-Manager, oft auch Verbesserungsmanager oder Programm-Koordinator genannt,
- Moderatoren, oft auch Prozessbegleiter, Multiplikatoren oder hausinterne Berater genannt,
- Abteilungsbeauftragte,
- Führungskräfte.

Koordinator

Der Change-Manager bzw. Koordinator koordiniert alle Aktivitäten des Teams und ist das Bindeglied zum Management sowie in allen Zweifelsfällen Ansprechpartner für alle Mitarbeiter, insbesondere für die anderen Führungskräfte. Im Idealfall ist er ein Mitglied des oberen Führungskreises und nimmt seine bisherige Funktion weiter wahr. Es könnte sich um den Qualitätsleiter handeln, den Produktionsleiter, den Personalleiter, den Kommunikationsleiter oder den Leiter des Finanz- und Rechnungswesens. Will sagen: Nicht das Aufgabengebiet, sondern der Manager als solcher ist entscheidend (vgl. Frage 31). Der Change-Manager organisiert die Einführung und Weiterentwicklung des Verbesserungsprogramms sowie alle Schulungen für die Moderatoren und Abteilungsbeauftragten.

Moderatoren

Die Moderatoren sind verantwortlich für die Vorbereitung, Durchführung und Nachbereitung von Workshops. In der Einführungsphase sind dies alle Level 1- und Level 2-Workshops. Nach der Einführungsphase sind dies nur noch Level 3-Workshops. Moderatoren sind Mitarbeiter, die sich – in der Regel auf freiwilliger Basis – neben ihrer sonstigen Aufgabe her als hausinterner Berater engagieren und für diese Zusatzaufgabe ausgebildet werden (vgl. Frage 24).

Beauftragte

Die Abteilungsbeauftragten werden mit jedem ersten Level 1-Workshop einer Abteilung gefunden. Es sind Mitarbeiter, die sich für das Thema interessieren und ein kleineres Päckchen Verantwortung als die Moderatoren übernehmen möchten. Am Anfang besteht die Aufgabe dieser Mitarbeiter lediglich in der Dokumentation von Workshops, die die Moderatoren durchführen (erster Level 1- und erster Level 2-Workshop der Abteilung). Nachdem Level 1 und Level 2 dann flächendeckend an einem Standort eingeführt ist, widmen sich die Moderatoren den abteilungsübergreifenden Prozessen und führen entsprechend Level 3-Workshops durch. Damit die Moderatoren sich auf diese Themen konzentrieren können, übernehmen die Abteilungsbeauftragten das Vorbereiten, Durchführen und Nachbereiten von Level 1- und Level 2-Workshops in ihrer jeweiligen Abteilung. Diese Workshops umfassen fortan höchstens einen Arbeitstag, oftmals auch nur sechs Stunden (vgl. Frage 18). Bei guter Vorbereitung (Ideen im Vorfeld gemeinsam mit allen Kollegen der Abteilung sammeln, diskutieren und gemeinsam entscheiden, welche Ideen auf dem Workshop umgesetzt werden sollen) laufen diese Workshops dann meistens wie von selbst, denn die Mitarbeiter haben im Zuge ihres jeweils ersten Level 1- und

Level 2-Workshops gelernt, worum es bei den Workshops geht: Ordnung herstellen, um Suchzeiten und Wege zu optimieren (Level 1) bzw. Probleme identifizieren und gemeinsam lösen (Level 2). Bei Bedarf (bei schwierigen Themen oder in besonders schwierigen Gruppen) können die Abteilungsbeauftragten zur Unterstützung einen Moderator hinzu ziehen. Zu diesem Zweck bekommen die Abteilungsbeauftragten die Möglichkeit, sich aus dem Kreis der Moderatoren jeweils einen Paten zu wählen. Das gibt den Beauftragten Sicherheit und dem gesamten System Stabilität – auch wenn die Beauftragten diese Unterstützung erfahrungsgemäß selten in Anspruch nehmen.

Führungskräfte

Alle Führungskräfte haben schließlich die Aufgabe, das Programm aktiv zu unterstützen bzw. der Veränderung zumindest nicht im Wege zu stehen. In diesem Zusammenhang hat es sich bewährt, das Durchführen einer bestimmten Anzahl von Verbesserungsworkshops in die persönlichen Ziele jeder Führungskraft aufzunehmen und somit entgeltwirksam werden zu lassen. Keine Führungskraft lässt sich dieses „Easy Money" entgehen. Und spätestens nach ein paar Workshops sind die positiven Effekte ohnehin so transparent, dass einstige Skeptiker oder sogar Gegner zu Befürwortern werden. Zumindest habe ich dies schon mehrfach erlebt.

Personelle KVP-Organisation

Personelle KVP-Organisation

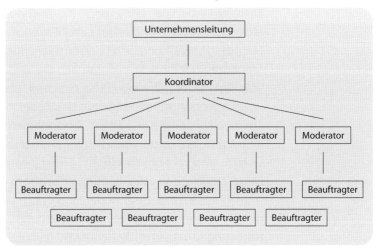

Nun sind die Rollen geklärt, doch wie wird das Programm aufgebaut?

In vielen Unternehmen erlebe ich es, dass die Verantwortlichen recht klare Vorstellungen davon haben, wie ein solches Verbesserungsprogramm bei ihnen aufgebaut werden sollte. So kommt es beispielsweise vor, dass die Aufgabe des Abteilungsbeauftragten direkt in die Hand des Abteilungsleiters gelegt wird, mit dem Ziel, dass dieser das Thema Verbesserung als Teil seiner Management-Aufgabe wahrnimmt und darüber berichten muss, wie sich das Thema in seinem Verantwortungsbereich entwickelt. Oder es entsteht eine Organisation aus sowohl hauptamtlichen als auch nebenamtlichen Prozessbegleitern. Die Bandbreite des Denkbaren ist vielfältig. Hat der Kunde jedoch keine konkreten Vorstellungen, schlage ich aufbauend auf den oben dargestellten Rollen meistens das folgende Vorgehen vor:

Aufbau des Programms

1. Schulung des Managements, damit dieses versteht, dass das Verbesserungsprogramm eine Dienstleistung ist und keine Reduzierung der eigenen Gestaltungsspielräume bedeutet

2. Auswahl des Kernteams: Koordinator/Change-Manager und Moderatoren

3. Schulung des Kernteams: Gesamtkonzept mit Schwerpunkt Level 1

4. Erster Level 1-Workshop im Büro + erster Level 1-Workshop in der Produktion + Klärung offener Fragen für das Kernteam

5. Plan für die Einführung von Level 1 (Koordinator plant gemeinsam mit Moderatoren)

6. Flächendeckende Einführung von Level 1 durch die Moderatoren

7. Schulung des Kernteams: Level 2

8. Erster Level 2-Workshop im Büro + erster Level 2-Workshop in der Produktion + Klärung offener Fragen für das Kernteam

9. Plan für die Einführung von Level 2 (Koordinator plant gemeinsam mit Moderatoren)

10. Flächendeckende Einführung von Level 2 durch die Moderatoren

11. Schulung des Kernteams: Level 3

12. Plan für die Einführung von Level 3 (Koordinator plant gemeinsam mit Moderatoren)

13. Erster Level 3-Workshop (Themen finden; vgl. Kapitel 4.2) + erster Level 3-Workshop (Schnittstellen-Workshop) + Klärung offener Fragen für das Kernteam + Rollenklärungsworkshop für alle vier Rollen (siehe übernächster Absatz)

Die Schulungen und ersten Workshops eines jeden Levels sind die wesentlichen Leistungen, die der externe Berater bieten sollte, als sozusagen theoretische und praktische Ausbildung.

Abteilungsbeauftragte übernehmen Level 1 und Level 2

Weil die Abteilungsbeauftragten mit der Einführung von Level 3 beginnen sollen, selbstständig Level 1- und Level 2-Workshops durchzuführen, ist es in den meisten Unternehmen notwendig, diesen Aufgabenwechsel mit einem zweistündigen Workshop zu begleiten. Auf diesem Workshop treffen sich mindestens vier Moderatoren, vier Abteilungsbeauftragte, vier Führungskräfte und der Koordinator. An vier Metaplan-Wänden wird erarbeitet, welche Aufgaben den vier Rollen zukommen. Jede Diskussionsgruppe ist dabei mit jeweils einem Abteilungsbeauftragten, einem Moderator und einer Führungskraft besetzt. Ist dies nach einer halben Stunde getan, wird präsentiert und diskutiert. Die Rollenklärung bringt zu diesem Zeitpunkt nicht nur für die Abteilungsbeauftragten Klarheit, welche Aufgaben sie nunmehr wahrnehmen, sondern unter Umständen auch für die Führungskräfte, denen die Wichtigkeit ihrer motivierenden und Ressourcen zur Verfügung stellenden Rolle oft nicht präsent ist.

14. Weitere Level 3-Workshops durch die Moderatoren; weitere Level 1- und Level 2-Workshops (diese nun eintägig) in den Abteilungen durch die Beauftragten

➡ Programm läuft!

Nun gilt es, das Programm am Laufen zu halten. Dafür treffen sich die Kernteams aller Unternehmensstandorte – vorausgesetzt, es gibt mehrere Standorte – einmal jährlich, um ihr weiteres Vorgehen zu besprechen (vgl. Frage 32).

21. Wie lange dauert der Aufbau eines solchen Programms?

Zeitaufwand für Programmaufbau hängt von Unternehmensgröße ab

Die Dauer des Aufbaus hängt im Wesentlichen von der Größe des Unternehmens ab. An einem Unternehmensstandort mit gut 500 Mitarbeitern und einer sehr motivierten und engagierten Truppe habe ich den Aufbau schon einmal in neun Monaten geschafft; an einem Unternehmensstandort mit mehr als 1.000 Mitarbeitern rechne ich mit mindestens 15 Monaten. Im Zuge des Aufbaus ist mir wichtig, dass die Mitarbeiter Zeit zum „Verdauen" der Veränderung bekommen; ein „Einprügeln" führt, wie schon mehrfach erwähnt, nicht zum Erfolg. Ich persönlich empfehle, nach dem Abschluss der Einführung von Level 1 und Level 2 den Mitarbeitern jeweils ungefähr zwei Monate Pause zu gönnen, damit sich die Eindrücke erstmal setzen können.

Wie lange die Einführung in einem gesamten Konzern dauert? Nun, wenn Sie das Geld für einen externen Berater sparen und Ihre eigenen Mitarbeiter zum Thema Prozesse weiterqualifizieren möchten, dann lassen Sie das Programm an Ihren weiteren Konzernstandorten von Ihrem Koordinator oder Ihren Moderatoren einführen. Die Erfahrungen, die die Teams bei der Einführung von Level 1 bis 3 am Hauptstandort des Konzerns gesammelt haben, reichen oftmals aus, damit das methodische Wissen an andere Standorte getragen werden kann. Ein externer Berater ist dann tendenziell nicht mehr nötig, vielleicht eher für ein Coaching des Koordinators.

Wie lange es dauert, bis sich letztlich die Unternehmenskultur gewandelt hat? In Unternehmen, in denen die Einführung zwischen 10 und 18 Monate in Anspruch genommen hat, dauert es meiner Erfahrung nach weitere 20 bis 30 Monate bis eine Unternehmenskultur entstanden ist, in der die Mehrzahl der

Mitarbeiter mit einer gewissen Begeisterung Verantwortung für ihre Arbeitsabläufe übernimmt und stolz auf die selbst erzielten Verbesserungen ist. Ein langer Weg, sicher, aber er lohnt sich. Ich komme bei der Beantwortung der Fragen 36 und 40 mit Beispielen und Zahlen, Daten, Fakten darauf zurück.

22. Wie wähle ich hausinterne Prozessbegleiter / Moderatoren aus?

Weil das gesamte Konzept personell darauf basiert, hausinterne Berater bzw. Moderatoren auszubilden, die das Thema Verbesserung nach der Einführung selbstständig und aktiv vorantreiben, ist es von besonderer Bedeutung, die geeigneten Mitarbeiter für diese Aufgabe zu finden.

In vielen Unternehmen werden diese Stellen mit Führungsnachwuchs besetzt, damit die entsprechenden Mitarbeiter möglichst viele Abläufe im Unternehmen kennen lernen und gleichzeitig Führungskompetenz herausbilden. Diesen Ansatz finde ich gut, jedoch habe ich auch schon die Erfahrung gemacht, dass sich „einfache Mitarbeiter" finden, die für diese Tätigkeit besser geeignet sind, als mancher künftige Abteilungsleiter.

Moderatoren-Team heterogen besetzen

In Industrieunternehmen empfehle ich, das Team künftiger hausinterner Berater zu vergleichbaren, oder universeller: zu vertretbaren Teilen mit Mitarbeitern aus Bürobereichen und Produktionsbereichen zu besetzen. In allen Branchen halte ich es darüber hinaus für sehr empfehlenswert, mindestens ein Betriebsratsmitglied im Moderatoren-Team zu haben. Weiterhin bietet es sich insbesondere für große Unternehmen an, möglichst aus jeder betrieblichen Funktion mindestens einen Moderator zu finden. Durch diese Art der Besetzung hat das Verbesserungsprogramm von Beginn an gute Chancen, eine hohe Akzeptanz zu finden.

Grundsätzlich sehe ich das folgende Anforderungsprofil für Moderatoren:

- Sympathisches Auftreten,
- Gute Akzeptanz unter den Kollegen / im Unternehmen,

- Fähigkeit zum Zuhören,
- Fähigkeit zum souveränen Präsentieren,
- Fähigkeit, eine Diskussion zu leiten,
- Interesse am Themenkreis „Prozesse & Veränderung",
- Grundlegendes Prozessverständnis,
- Unternehmerisches Denken.

Dies mag nun nach einer Stellenbeschreibung klingen, die nach dem Motto „Ach, das wäre auch noch ganz sinnvoll" geschrieben wurde. Daher betone ich, dass ich jeden einzelnen dieser Punkte für wichtig halte; die Reihenfolge der Kriterien stellt keine Hierarchie dar. Sicher, der eine Moderator wird hier seine Stärken haben und der andere dort, als Grundorientierung halte ich diese „Wunschliste" jedoch für sehr hilfreich. Auch tut sich jedes Unternehmen sicher einen Gefallen, das Team hinsichtlich der Typen bzw. Persönlichkeiten eher heterogen zu besetzen, also beispielsweise durchaus einen souveränen „Präsentator" ins Boot zu holen, dann zum Ausgleich aber bitte auch einen ausgesprochenen Zuhörer.

Und vielleicht noch diese Anmerkung: Viele der Unternehmen, die ich bislang bei der Einführung dieses Programms begleitet habe, besetzen ihre Workshops mit Zweier-Moderatoren-Teams. Auf diese Weise läuft man nicht nur weniger Gefahr, dass ein Workshop „falsch" geleitet wird, sondern die Moderatoren lernen auch stets etwas voneinander.

23. Wie viele Moderatoren werden benötigt?

Anzahl der Moderatoren abhängig von der Unternehmensgröße

Das hängt ganz von der Größe des Unternehmens bzw. des Unternehmensstandortes ab. Anzumerken ist vielleicht, dass es meiner Erfahrung nach so eine Art Minimum gibt: Weniger als vier Modertoren sollten es vielleicht nicht sein, weil sonst in der Einführungsphase fast jeder Workshop an denselben Personen hängen bleibt. (In Unternehmen mit weniger als 50 Mitarbeitern lässt sich dies wohl nicht umgehen; hier würde ich empfehlen, zwei Mitarbeiter an die Aufgabe des Moderierens heran zu führen.) Im Groben kann man sich sicher an folgenden Größen orientieren:

100 Mitarbeiter → 4 Moderatoren + 1 Koordinator
200 Mitarbeiter → 6 Moderatoren + 1 Koordinator
500 Mitarbeiter → 10 Moderatoren + 1 Koordinator
1000 Mitarbeiter → 16 Moderatoren + 2 Koordinatoren
2000 Mitarbeiter → 25 Moderatoren + 2 Koordinatoren

Anzahl der Moderatoren auch abhängig von der Rollenverteilung

Auch ist die Anzahl der Moderatoren natürlich davon abhängig, ob das hier dargestellte Konzept 1:1 umgesetzt wird. Ich habe auch schon Kunden gehabt, die lieber mit einer Art Moderatoren-Pool arbeiten und gleichzeitig – wie oben schon einmal erwähnt – die Aufgabe des abteilungsinternen „Kümmerers", des Beauftragten, dem Abteilungsleiter zuordnen. In den entsprechenden Unternehmen gibt es dann die Rolle des Beauftragten in der oben dargestellten Form nicht. Stattdessen kann sich der Abteilungsleiter dann nach Bedarf für alle Arten von Workshops aus dem Moderatoren-Pool bedienen. In den entsprechenden Unternehmen habe ich stets mit einer überschaubaren Anzahl von Moderatoren begonnen, die sich mit der fortschreitenden Einführung des Programms – beispielsweise während oder nach der Einführung von Level 2 am Hauptstandort – zu Mentoren für neue Moderatoren entwickelten, so lange bis das Unternehmen eine ausreichende Anzahl von Moderatoren zur Verfügung hatte. Ähnlich verläuft die „Einrichtung" eines Inhouse-Consulting-Teams aus Vollzeitkräften.

24. Wie werden die Moderatoren ausgebildet?

Kurze Schulungen

Sind die künftigen hausinternen Berater ausgewählt, gilt es, diese passend auf ihre Aufgaben vorzubereiten. Im Zuge meiner Tätigkeit habe ich sehr gute Erfahrungen damit gemacht, diese Mitarbeiter mit kurzen Schulungen vor den ersten Workshops und dann im Zuge dieser Workshops im Learning-by-Doing-Verfahren schrittweise zu unternehmensinternen Beratern bzw. Moderatoren auszubilden. Die Schulungen vor den Workshops beinhalten die folgenden Themen:

Level 1: 2 bis 3 Tage

• Einblick in das Gesamtkonzept (Level 1 bis 3)

- Praktische Übung im eigenen Unternehmensumfeld: Prozessschwächen erkennen und verstehen
- Theorie: Präsentieren / Präsentationstechniken, Moderieren, Verbal- und Körpersprache
- Praktische Übung: Präsentieren (im Fokus: Verbal- und Körpersprache)
- Wie bereite ich einen Level 1-Workshop vor und führe ihn durch?
- Gruppenarbeit: Standard-Vortrag „Level 1" an Unternehmensbedürfnisse anpassen

Level 2: 1 bis 2 Tage

- Kurze Wiederholung: Moderieren (insbesondere Verbal- und Körpersprache)
- Moderationstechniken (insbesondere Visualisierung von Ideen und Lösungen)
- Optional als zusätzlicher Block: „Handlungsweisen verstehen und Menschen führen" (nur bei Interesse der gesamten Gruppe)
- Wie bereite ich einen Level 2-Workshop vor und führe ihn durch?
- Gruppenarbeit: Standard-Vortrag „Level 2" an Unternehmensbedürfnisse anpassen

Level 3: 2 Tage

- Prozess-Mapping: Simulation eines kompletten Level 3-Workshops
- Wie bereite ich einen Level 3-Workshop vor und führe ihn durch?
- Gruppenarbeit: Standard-Vortrag „Level 3" an Unternehmensbedürfnisse anpassen

Das Ziel: So rasch wie möglich auf eigenen Beinen stehen

Den ersten Workshop eines jeden Levels begleite ich oder führe ihn im Bedarfsfall auch vollständig selbst durch, um den Moderatoren eine Orientierung zu bieten. Ab dem zweiten Workshop sind die Moderatoren in der Regel auf sich selbst gestellt und führen den entsprechenden Level ohne weiteres Zutun meinerseits vollständig ein – stets mit Erfolg. Auch wenn die Moderatoren sich im Zuge der ersten Schulung zuweilen „überwältigt" vorkommen, so erbringen die Teams doch immer hervorragende Leistungen und entwickeln schnell Spaß an der Verbesserungsarbeit. Sicher ist nicht jedes Team-Mitglied gleich stark, aber den Teams, die ich bislang ausgebildet habe, gelingt es durchweg, dass sich die Team-Mitglieder untereinander ergänzen und gegenseitig stärken.

Mittlerweile ist sicher deutlich geworden, dass die reine Fachkenntnis zum Thema „Prozesse verbessern" höchstens die halbe Miete ist. Daher ist es nun angebracht, etwas mehr zum Themenkreis „Moderieren & Präsentieren" zu sagen. Die im Folgenden genannten Kriterien können als Orientierungshilfen herangezogen werden. Ein Moderator sollte:

Profil eines fertigen KVP-Moderators

- … neutral und offen für jedes Ergebnis sein. Nicht der Moderator, sondern die Teilnehmer sind die Bescheidwisser und können die Probleme und Lösungsansätze am besten beurteilen.

- … gleichwohl auf sein Ziel fokussiert sein, den Workshop zu Ergebnissen zu führen. Inhaltlich sollte es dem Moderator „egal" sein, welches Ergebnis erzielt wird. Jedoch liegt es in seiner Verantwortung, dass ein brauchbares Ergebnis erzielt wird.

- … gut zuhören können.

- … den roten Faden aber dennoch nie verlieren und im passenden Moment wieder zur Diskussion zurückführen.

- … bei Bedarf Impulse geben, sich dann aber wieder zurücknehmen können.

- … Ideen, Strukturen, Abläufe und Ergebnisse visualisieren können.

- … darauf achten, dass er alle Teilnehmer mit in die Lösungsfindung einbezieht.

- … die Inhalte und Ziele des Verbesserungsprogramms im Rahmen von Präsentationen und bei kritischen Fragen souverän darstellen und vermitteln können.

- … eine positive Ausstrahlung haben.

- … Menschen einschätzen können.

- … bei Präsentationen und auch während der Moderation passend sprechen, also: mit angemessener und ansprechender Lautstärke, passender Sprechgeschwindigkeit und deutlich.

- … auf seine Körpersprache achten, also: stets der Diskussions- bzw. Zuhörergruppe zugewandt bleiben und Offenheit zeigen sowie nicht dominant oder unterwürfig auftreten, der Situation und seiner eigenen Rolle angepasst eben.

Ein guter externer Berater vermittelt all dies anhand von Beispielen und Übungen im Rahmen kurzer Schulungen sowie bei der Begleitung der ersten Schritte.

25. Wie hält man die Motivation der Moderatoren / hausinternen Berater hoch?

Ein Verbesserungsprogramm, wie ich es in diesem Buch darstelle, lebt von seinen Treibern – den Koordinatoren, den Moderatoren und den Beauftragten. Bei den Moderatoren und den Abteilungsbeauftragten beansprucht die Verbesserungsarbeit zwar „nur" zwischen 5 und 10 Prozent der jeweiligen Jahresarbeitszeit. Wenn wir uns jedoch vor Augen halten, dass die Teilnahme am Verbesserungsprogramm in vielen Unternehmen freiwillig ist, ist es richtig, sich über das Thema Motivation beziehungsweise „Belohnung" Gedanken zu machen.

Ausbildung

Als erstes ist wohl die Ausbildung, die Fortbildungen zum Thema Prozesse und die noch zu diskutierenden Benchmark-Touren (vgl. Frage 49) zu nennen. Es ist sicher ein Privileg, den Blick für Arbeitsabläufe in dieser Tiefe geschärft zu bekommen. Für die

Moderatoren kommt in vielen Unternehmen motivierend hinzu, dass aus diesem Kreis heraus oft Führungsstellen besetzt werden.

Der Workshop an sich

Des Weiteren ist der Workshop an sich motivierend. Es ist ein sehr befriedigendes Gefühl, Teilnehmer einer Gruppe zur Erarbeitung handfester Lösungen geführt zu haben. Das tut auch dem eigenen Selbstbewusstsein gut.

Motivation: Der Workshop an sich

Gemeinsames Erarbeiten

Gemeinsames Präsentieren und Umsetzen

Team-Übungen

Motivation & Teambildung: Übungen mit Symbolik

Wir ziehen alle an einem Strang!

Vielleicht ein kleines Weihnachtsgeschenk

In vielen Unternehmen habe ich es mitbekommen, dass die Moderatoren und Beauftragten von ihren Standortkoordinatoren ein kleines Weihnachtsgeschenk erhalten. Mag dies in einem Jahr ein Buch zum Thema Körpersprache sein, so ist es im nächsten Jahr vielleicht ein gemeinsames Weihnachtsessen, ein Konzertbesuch oder ein sehr hochwertiger, individuell gravierter Kugelschreiber oder ein graviertes Weinglas aus Kristall. In jedem Fall kommt diese kleine Aufmerksamkeit gut an, Wertschätzung außerhalb des Üblichen eben. Auch die unter Frage 20 erwähnte und mit Frage 32 noch zu diskutierende Jahrestagung der Moderatoren mit Teambildungselementen (Beispiel auf vorheriger Seite: zweite Abbildung) und einem gewissen Freizeitwert trägt zur Motivation bei.

Wertschätzung ist jedoch nicht nur seitens des Koordinators bzw. Change-Managers wichtig. Auch die Unternehmensleitung sollte nicht unterschätzen, wie motivierend ihre Präsenz auf Abschlusspräsentationen ist. Dasselbe gilt für Worte der Anerkennung auf Betriebsversammlungen, Pressekonferenzen oder gar auf Aktionärsversammlungen. Alles schon erlebt. Kommt gut an!

Ein Vorstand hat einmal mit der flächendeckenden Einführung von Level 1 und 2 und dem Einstieg in Level 3 sogar zu einem Familientag eingeladen, unter dem Motto: Wir gestalten unsere Zukunft!

Unabhängig davon, ob das Verbesserungsteam aus nebenberuflichen oder hauptamtlichen Prozessbegleitern besteht, lohnt es sich, sich vor Augen zu führen, dass jedes Unternehmen die Mitarbeiter hat, die es verdient. Wer gute Mitarbeiter haben und halten möchte, der muss etwas für sie tun. Sonst beinhaltet *Team* nicht „Miteinander" und „Füreinander", sondern steht für „Toll, ein anderer macht's".

26. Was halten Sie von KVP-Teams aus freigestellten Mitarbeitern?

Hauptberufliche oder „Teilzeit-Berater"?

Viele Unternehmen stellen sich am Anfang die Frage, ob ein konstantes Verbesserungsteam eingesetzt werden sollte, oder ob es nicht besser wäre, ein Netzwerk aus vielen Mitarbeitern zu koordinieren, die als „Teilzeit-Berater" fungieren und die sich bereit erklären, neben ihrer Tagesarbeit jährlich eine bestimmte Anzahl Verbesserungsworkshops durchzuführen. Ein solches Netzwerk aus Teilzeit-Beratern ist – wie weiter oben schon ausgeführt –

einerseits denkbar als Aufgabenteilung zwischen Workshops mit Abteilungsbezug (Level 1, Level 2) und Schnittstellenworkshops (Level 3) sowie andererseits denkbar als „Moderatorenpool", bei dem jeder Moderator jede Art Workshop durchführen kann.

Breitenwirkung durch „Teilzeit-Berater"

Wie Sie anhand meiner bisherigen Darstellungen leicht erahnen, ist meine Erfahrung, dass es in einem Netzwerk – insbesondere bei der Aufgabenteilung zwischen Themen innerhalb der Abteilung und Schnittstellenthemen – wesentlich leichter fällt, Vor-Ort-Bedarfe zu erkennen, zeitnah aufzugreifen und gemeinsam mit den Beteiligten entsprechende Maßnahmen in die Wege zu leiten. Die Breitenwirkung dieser Vorgehensweise ist enorm.

Hinzu kommt, dass Vollzeit-Verbesserer oft direktivere Vorgehensweisen wählen und so die Stimmen der „Bescheidwisser" weder bei der Diskussion von Ideen noch bei deren Umsetzung angemessen gehört werden. Dies muss nicht so sein; es ist jedoch oft so. Und die letztlich erzielten Ergebnisse sind dann wegen der mangelnden Einbindung der „Bescheidwisser" oft zweitklassig und finden in der Regel auch keine hundertprozentige Akzeptanz bei den Mitarbeitern, die die Verbesserungen dann „leben" sollen.

Mir persönlich ist lediglich eine einzige echte Erfolgsgeschichte bekannt, in der ein Vollzeit-KVP-Team zum Einsatz kommt. Das Unternehmen hat gut fünf Prozent mehr Umsatzrendite als der Branchendurchschnitt und leistet sich 70 (!) Freigestellte für das Thema Verbesserung. Dabei handelt es sich wohlgemerkt nicht um einen Großkonzern.

27. Benötige ich ein Anreizsystem?

Anreizsystem je nach Unternehmenskultur

Kommt auf die Kultur bzw. Unternehmenskultur an, würde ich sagen. In jedem Fall schafft ein Anreizsystem Motivation. Zu berücksichtigen ist dabei jedoch, dass, wenn ein Anreizsystem einmal eingeführt und eindeutig mit dem Thema Verbesserung verknüpft ist, man dies nicht wieder wegnehmen kann, ohne dem Verbesserungsprogramm Schaden zuzufügen. Das zusätzliche Geld ist für viele Mitarbeiter schnell so selbstverständlich wie fließend warmes Wasser, Fernsehen oder Autofahren.

Der richtige Zeitpunkt? Nun ja, ich würde sagen: im ersten vollen Geschäftsjahr nachdem alle drei Level eingeführt sind. Vorher gibt es aus meiner Sicht keinen Grund für eine Belohnung, denn es kann sich auch noch nicht wirklich viel verändert haben.

Welche Art An-reizsystem?

Einen Preis ausschreiben? Klingt nach einer guten Idee. Und in vielen Unternehmen „endet" der Gedanke an ein Anreizsystem tatsächlich mit einem „KVP-Award" oder Ähnlichem. Meiner Wortwahl entnehmen Sie, dass ich dies nur bedingt für sinnvoll halte. Zwar bin auch ich jemand, der grundlegend wettbewerbs-orientiert denkt, jedoch habe ich beizeiten lernen können (oder besser: müssen), dass es fast nicht möglich ist, einzelne Verbes-serungsmaßnahmen miteinander zu vergleichen und entspre-chend im Rahmen eines ausgeschriebenen Awards angemessen zu bewerten. Außerdem halte ich das zentrale Signal, das sich meist in der Auslobung eines solchen Awards verbirgt, für fatal: Große Verbesserungen sind besser als kleine!

Wird dies den Mitarbeitern gesendet, kann die Breitenwirkung des Verbesserungsprogramms schnell wieder verloren gehen. Meiner Erfahrung nach wird das Programm jedoch erst mit dieser Breitenwirkung zum Erfolg (vgl. auch Frage 42). Gerne ver-weise ich hier auch noch einmal auf die unter Frage 13 geführte Diskussion.

Ein Vorschlag

Welches Anreizsystem wäre also besser? Nun ja, vielleicht eines, das allen Mitarbeitern die Möglichkeit bietet, einen finanziellen Nutzen aus dem Verbesserungswesen zu ziehen. Etwa wie folgt:

1. Wird das für das Geschäftsjahr X geplante Unternehmenser-gebnis erreicht, erhält jeder Mitarbeiter 400 Euro.

2. Werden darüber hinaus mindestens 80 Prozent der bis zum Ende des Geschäftsjahres X definierten Maßnahmen umgesetzt, erhält jeder Mitarbeiter weitere 400 Euro.

3. Wird das für das Geschäftsjahr X geplante Unternehmenser-gebnis übererfüllt, erhält jeder Mitarbeiter pro Y Millionen Euro Übererfüllung weitere 200 Euro.

Aus meiner Sicht hat das Logik und Pfiff: Ganz grundlegend muss ein Unternehmen erst einmal Geld verdienen, damit es überhaupt etwas zum Verteilen gibt – sei es an die Investoren oder, wie hier, an die Mitarbeiter. Für das Verbesserungsengagement gibt es erst dann Extrageld, wenn das Unternehmen auch tatsächlich angemessen Geld verdient hat, also wenn das – mit Vernunft und nicht überzogenem Ehrgeiz – geplante Unternehmensergebnis erreicht wurde. Die 80 Prozent unter „2." machen dabei Sinn, weil nicht davon auszugehen ist, dass bis zum Jahresende auch die Maßnahmen bereits lückenlos umgesetzt sind, die erst einen Monat zuvor definiert wurden. Die am Ende des Geschäftsjahres noch nicht umgesetzten Maßnahmen gehen in den Bestand fürs nächste Jahr (Die Voraussetzung dafür ist die Pflege der Kennzahl: Anzahl definierter Maßnahmen / Anzahl umgesetzter Maßnahmen).

Die Positionen bedingen einander

Attraktiv ist dieses System meiner Ansicht nach insbesondere, weil sich die beiden ersten Positionen einander bedingen. Um die unter „2." aufgeführte Verbesserungsprämie erzielen zu können, muss zunächst das angestrebte Unternehmensergebnis (1.) erreicht werden. Das Unternehmensergebnis (1.) wiederum kann oft nur dadurch erreicht werden, dass sich das Unternehmen verbessert (2.). Und wenn die Mitarbeiter das Unternehmen so richtig zum Laufen bringen, gibt's mit „3." für jeden noch einmal eine angemessene Extraprämie für die Übererfüllung. Die Basis für die Bewertung könnte vielleicht die klassische Mittelfristplanung (nächste fünf Jahre) sein.

Weil sich manche Mitarbeiter überhaupt nicht an der Verbesserung von Abläufen beteiligen, finden Sie das nicht fair? Ja, auch nach vier oder fünf Jahren kontinuierlicher Verbesserungsarbeit gibt es immer noch diese 10 Prozent Mitarbeiter, die sich partout nicht aktiv beteiligen wollen. Schauen wir aber noch mal genau hin: Während die einen an einem Verbesserungsworkshop teilnehmen und nachfolgend Maßnahmen umsetzen, machen die anderen weiter ihren Job, halten also den Betrieb aufrecht und bedienen weiter den internen bzw. externen Kunden. Die einen verbessern also, während die anderen den Rücken dafür freihalten. So unterstützt letztlich jeder das System – absichtlich oder unabsichtlich. Und so kann man durchaus der Auffassung sein, dass auch jeder etwas verdient hat.

Für echte Unternehmerseelen mag dies viel zu sozialistisch klingen. Und, glauben Sie mir, in der Rolle des Konzern-Change-Managers war das für mich auch so. Heute empfehle ich: Diskutieren Sie die Alternativen mal mit Ihrem Betriebsrat und Sie werden sehen, was bei der Mehrheit der Belegschaft gut ankommt. Und diese Mehrheit wollen Sie doch gewinnen.

Immer noch zu sozialistisch? Gut. Eine Geschichte aus meiner Vergangenheit: In der Rolle des Change-Managers in einem mittelständisch geprägten Maschinenbaukonzern habe ich meinerzeit einmal einen Wettbewerb ausgeschrieben und 25 richtig satte (!) Geldpreise ausgelobt. Die Teilnahme funktionierte so, dass für jeden, der an der Umsetzung von einer oder mehreren Maßnahmen beteiligt war, eine entsprechende Anzahl mit Namenszetteln in eine Lostrommel gegeben wurde. Wer viel beiträgt, soll auch viele Chancen auf den Hauptgewinn haben, dachte ich mir. Und ich glaubte, mich bestätigt zu sehen, als die Anzahl der Maßnahmen in jenem Jahr beeindruckend anstieg. Am Ende hatten wir sechsmal mehr Maßnahmen als der Branchendurchschnitt. Wow! Und die ersten der Gezogenen haben sich sehr gefreut, ja waren bei der individuellen Benachrichtigung zum Teil sogar zu Tränen gerührt. Zu meinem Erstaunen teilten viele der Gewinner ihren Gewinn jedoch unaufgefordert mit ihrer gesamten Abteilung. Die Menschen sind eben doch nicht alle echte Kapitalisten. Und auch die Schelte, die ich in den Wochen nach der Auslosung für das Lossystem von vielen Mitarbeitern offen oder verdeckt einfuhr, war mir eine Lehre. Und das Ergebnis war bei genauerem Hinsehen schließlich auch nicht so gut, wie es schien. Die Philosophie dieses Jahres resultierte in einigen Maßnahmen, die man ehrlicherweise unter „Masse statt Klasse" verbuchen muss. Letztendlich hatte ich einige – wenn auch größtenteils sanfte – Wogen zu glätten. Mein Rat aus heutiger Sicht: Ersparen Sie sich die mit einem solchen Anreizsystem verbundenen Mühen.

Kommen wir an dieser Stelle nochmals auf die Option zurück, einen „Award" auszuloben. Anstelle der Auslobung eines individuellen „Awards" ist natürlich auch eine Auslobung für die „Beste Abteilung" denkbar. Dies ist schon mit Erfolg durchgeführt worden. Die Geschäftsleitung eines mittelständisch geprägten Unternehmens nahm sich einen halben Tag Zeit, um sich die

Ergebnisse vor Ort in den jeweiligen Abteilungen kurz darstellen zu lassen und entschied dann mit einem Gremium, welcher Bereich den Büro-Award erhalten solle und welcher den für den besten Produktionsbereich. Die Verleihung wurde dann mit einem kleinen Familientag verbunden – also letztlich doch mit einer Belohnung für alle. Diese Veranstaltung gibt es dort seither einmal jährlich.

Level 1 für einen guten Zweck

Also: Wenn Anreizsystem, dann eher zum Vorteil vieler als zum Vorteil weniger. Gut. Was gibt es noch für Möglichkeiten, Anreize zu schaffen? Über die Führungskräfte und ihre Tantieme sprachen wir ja schon unter Frage 20. Pfiffig fand ich zum Beispiel auch die Idee, Level 1 für einen guten Zweck durchführen zu lassen. In einem Unternehmen, in dem ich das Verbesserungsprogramm lange begleitet habe, wurde vor Beginn der Einführung von Level 1 vom Change-Manager und dem Vorstand festgelegt, dass das Aussortieren überflüssiger Akten und Gegenstände erfasst und schließlich entsprechend der Aussortierensleistung einer jeden Abteilung Geld für einen wohltätigen Zweck gespendet wird: pro 10 Kilogramm entsorgtem Papier wurde 1 Euro gespendet, pro wieder verwertbarem Ordner ebenfalls 1 Euro, pro aussortiertem Elektrogerät 5 Euro, pro Tonne Schrott 10 Euro und pro aussortiertem Büro- oder Werkstattmöbelstück 50 Euro. Binnen sehr kurzer Zeit finanzierte das Unternehmen die Unterkunft und Ausbildung mehrerer Waisenkinder. An anderen Standorten desselben Unternehmens wurde für das Rote Kreuz gespendet etc. Könnte das Schule machen??

28. Welche Rolle spielt das Management?

Die Führungsmannschaft, dies klang schon mehrfach an, unterschätzt ihre Rolle oft. Und damit sind die Führungskräfte aller Hierarchieebenen gemeint. Nach meiner Erfahrung bringen neben strategischer Klarheit und Konsequenz insbesondere Wertschätzung und Motivation das Unternehmen voran und sollten daher Bestandteil des täglichen Geschäfts jeder Führungskraft sein – natürlich nur, wenn auch entsprechende Leistungen erbracht werden. Aber, liebe Führungskräfte unter den Lesern, das haben Sie, glaube ich, zu großem Teil selbst in der Hand, denn die letzt-

Wertschätzung

endliche Leistung von jedem Ihrer Mitarbeiter geht mit auf Ihre Führungsleistung zurück.

Wer als Führungskraft gute Leistungen bewusst würdigt und für die nicht so guten Ergebnisse im Sinne eines Coachs konstruktiv Perspektiven aufzeigt, der wird die bestmöglichen Leistungen seiner Mitarbeiter erhalten – und umgekehrt!

Vertrauens-vorschuss

Mit Blick auf die erfolgreiche Einführung eines Verbesserungs-programms ist es auch wichtig, dass das Management den Mit-arbeitern einen Vertrauensvorschuss gewährt. Zwar ist unsere Wirtschaftsgesellschaft an Zahlen orientiert, und wir werden uns dem Thema Kennzahlen bald widmen (Frage 41). Jedoch erfordert die vorliegende Methode auch ein gewisses Maß an Vertrauen in die Fähigkeiten der Mitarbeiter. Vorgehensweisen, die primär zahlenbasiert sind, werden von den meisten Füh-rungskräften rasch gestützt, denn Zahlen sind ihnen vertraut, sie sind ihre häufigste Berichtsgrundlage. Methoden hingegen, die wie die hier dargestellte Vorgehensweise, auch Vertrauen als Erfolgsfaktor erfordern, führen zu Unsicherheit im Umgang mit

Erfolg steht und fällt mit Rücken-deckung durch die Unterneh-mensleitung

ihnen. Der Erfolg einer gelungenen Einführung dieses Verbesse-rungsprogramms steht und fällt daher mit der Rückendeckung durch die Geschäftsleitung. Signalisiert die Unternehmenslei-tung nicht eindeutig und wiederholt, dass sie zu der von Vertrau-en in die Mitarbeiter geprägten Vorgehensweise steht und deren Beitrag zum Erfolg des Unternehmens als hoch einschätzt, bleibt ein solches Programm fast ausnahmslos in einem sehr frühen Entwicklungsstadium stecken oder verkümmert zu einer unpro-duktiven Zahlenzählerei.

Oder vielleicht noch einmal anders ausgedrückt: In einer Ver-trauenskultur führen Menschen; in einer Misstrauenskultur führen Zahlen. Betonen möchte ich in diesem Zusammenhang den Unterschied zwischen Vertrauen und Vertrauensseligkeit. Vertrauensseligkeit gefährdet den Erfolg; Vertrauen seitens der Führungskräfte in die Mitarbeiter und die Methode ist essentiell für den Erfolg.

Gelingt der Unternehmensleitung jedoch der Spagat zwischen dem Wunsch nach der in Zahlen abzubildenden Steigerung des Gewinns auf der einen Seite und dem von Vertrauen geprägten

Umgang mit dem Thema Verbesserung andererseits, dann ist das Ergebnis meist nicht nur das schrittweise Verschwinden zahlreicher Problemfelder, sondern ein beträchtlicher und vor allem anhaltender Motivationsschub bei den Mitarbeitern, die durch ihre unmittelbare Beteiligung an der Lösung der Probleme persönliche Erfolge erleben. Am Ende fließen die Informationen: fehlerfrei, zum richtigen Zeitpunkt, in der richtigen Menge, an die richtige Person. Und das Unternehmen verdient richtig gutes Geld!

29. Welche Rolle spielt der Betriebsrat?

Betriebsrat mit einbeziehen

Auch die Rolle des Betriebsrats ist nicht zu unterschätzen. Anstatt die Betriebsräte als „ideologisch verblendete Bremser" zu sehen, könnte man sie sich auch zum Partner machen, mit denen sich richtig etwas bewegen lässt. Ob dazu, wie im Einzelfall schon erlebt, eine Betriebsvereinbarung zum Thema Verbesserung geschlossen werden muss, in der steht, dass niemand durch die Einführung des Verbesserungsprogramms einen Nachteil haben wird, möchte ich offen lassen. Sicher, so ein Stück Papier hilft, die Mitarbeiter rascher ins Boot zu holen, aber es geht auch ohne.

Ähnliche Effekte erzielt man, wenn man schlicht bereit ist, den Betriebsrat aktiv mit einzubeziehen – im Rahmen des Moderatoren-Teams und im Lenkungsausschuss. Ich habe die Erfahrung gemacht, dass sich mit dem Betriebsrat als „Multiplikator" in guter Zusammenarbeit richtig viel bewegen lässt. In mehreren der Unternehmen, die ich begleite, bringen sich sogar freigestellte Betriebsräte als Moderatoren ein, weil sie das Gefühl haben, das Richtige zu tun – für die Mitarbeiter und das Unternehmen. Voilà: Unternehmenskultur.

Und: Durch die aktive Teilnahme erhalten die Betriebsräte Einsichten in unternehmerische Probleme und Lösungsmuster. Diese Erkenntnisse schlagen sich letztlich auch in anderen Verhandlungen nieder, denn keiner ist im einen Moment ein vernünftig denkender Mensch und im nächsten Moment wieder purer Ideologe.

30. Welche Rolle hat der Lenkungsausschuss? Und wie ist dieser besetzt?

Na ja. Die Frage der Besetzung ergibt sich eigentlich aus den Antworten auf die vorherigen beiden Fragen. Sowohl die Führungsmannschaft als auch die Arbeitnehmervertreter sollten im Lenkungsausschuss vertreten sein.

Wertschätzung Was der Lenkungsausschuss macht? Im Kern: Wertschätzung! Einmal jährlich berichten die Abteilungsbeauftragten vor dem Lenkungsausschuss über die mit dem Verbesserungsprogramm in den vergangenen 12 Monaten in ihrer Abteilung erzielten Verbesserungen, nach dem Standard: Was haben wir getan? Was haben wir damit erreicht? Wie geht es weiter? – Je nach Größe des Standortes kann es Sinn machen, diese Veranstaltung zu splitten und nicht alle Beauftragten an ein und demselben Termin präsentieren zu lassen. Die jährliche Präsentation der Beauftragten zeigt meist auch deutlich auf, wie sich der jeweilige Vorgesetzte, über dessen Abteilung bereichtet wird, das Thema Verbesserung fördert und ob er gegebenenfalls in einem Gespräch unter vier Augen noch einmal ermutigt werden muss, seinen Mitarbeitern mehr Freiraum zu geben, damit diese sich noch besser in das Thema Verbesserung einbringen können. Unterm Strich ist dieses jährliche Hinschauen also auch eine Art Standortbestimmung der Führungskultur in jeder Abteilung.

Im Nachgang zu den Präsentationen oder auf einem separaten Treffen berichtet der Koordinator des Verbesserungsprogramms dem Lenkungsausschuss dann über die Ergebnisse bestimmter Level 3-Projekte, über Benchmark-Touren in andere Unternehmen oder über Personalentwicklungsmaßnahmen für die Moderatoren und Abteilungsbeauftragten. Auch Personalia des Verbesserungsprogramms werden im Lenkungsausschuss besprochen. Weil ein solches Programm oft Bestandteil der Personalentwicklung ist, kommt es je nach Größe des Unternehmens jährlich zu Neubesetzungen der Moderatoren-Stellen. Moderiert werden die Lenkungsausschusssitzungen vom Koordinator / Change-Manager.

31. Wie wähle ich den passenden Change-Manager bzw. Programm-Koordinator?

Wie wäre es mit Ihnen, lieber Leser? Wenn Sie nicht nur im Zuge eines interessierten Durchblätterns bei dieser Frage gelandet sind, sondern bis hierher gelesen haben, möchte ich mal behaupten, dass Sie für diese Aufgabe eine gute Wahl sind. Sie sind sehr am Thema interessiert und Sie sind bereit, Zeit zu investieren. Damit verfügen Sie über zwei Eigenschaften, nach denen man in den meisten Unternehmen lange suchen muss ...

Change-Manager sollte Manager sein

Generell sollte der Change-Manager jemand aus dem direkt berichtenden Management sein, der innerhalb der Führungsmannschaft akzeptiert ist, über das nötige Durchsetzungs- und Überzeugungsvermögen verfügt, gepaart mit passender Diplomatie, denn die Tätigkeit eines Koordinators ähnelt doch oft einer politischen Tätigkeit. Ich spreche da aus Erfahrung. Macht Spaß!

32. Wie koordiniert sich das Verbesserungsteam?

Nun ist die Aufbauorganisation des Verbesserungsprogramms erläutert und auch alle Personalia sind diskutiert. Das führt uns zu der Frage, wie sich das Kernteam denn in den Jahren nach der Einführung des Programms koordiniert?

Regelmäßige interne Treffen

Zeitnah zu den unter Frage 30 bereits diskutierten Sitzungen des Lenkungsausschusses finden auch Treffen der Moderatoren statt. Dort wird der Stand bestimmter Level 3-Projekte durchgesprochen, sei es die jeweilige Vorbereitung betreffend oder die Phase zwischen Workshop und dem späteren nochmaligen Treffen der Teilnehmer. So entsteht unter den Moderatoren ein Informationsgleichstand hinsichtlich aller laufenden Level 3-Projekte. Auch die Planung für alle folgenden Workshops wird auf diesen Treffen regelmäßig aktualisiert.

Einmal pro Jahr Auszeit zum Reflektieren

Abgerundet wird die Selbstkoordination dadurch, dass sich die Koordinatoren und Moderatoren einmal jährlich zu einer Art Strategietagung treffen. Auf dieser KVP-Strategietagung arbeitet das Moderatorenteam unter der Leitung des Koordinators aus, wie es an ihrem Standort zum Thema Verbesserung weitergehen soll. In Konzernstrukturen lädt der Konzern-Koordinator zuvor die Koordinatoren aller Standorte ein, um gemeinsam mit ihnen einen Rahmen für die weiteren Schritte abzustecken und Orientierung zu schaffen. Die Jahrestagung sieht dann folgendes Programm vor:

1. Tag: Was haben wir getan? Was haben wir damit erreicht? Was könnten wir verbessern?

2. Tag: Wie geht es weiter?

... und in Konzernstrukturen:

3. Tag: Jede Gruppe präsentiert → Informationsgleichstand und Erfahrungsaustausch (internes Benchmarking)

Wie schon angedeutet, wird während dieser Jahrestagung jede Gruppe von ihrem Standort-Koordinator moderiert. Deckt sich das Geschäftsjahr mit dem Kalenderjahr, empfehle ich, die Jahrestagung Anfang Juni durchzuführen, damit die Tagung immer vollständig besetzt sein kann, denn Anfang Juni gibt es noch keine Sommerferien. Inhaltlich empfehle ich, den Zeitraum von Januar bis Dezember des darauf folgenden Jahres zu fokussieren, damit kein Team in Verlegenheit kommen kann, nicht weiter zu wissen. Auch kommt das Team so nicht in Versuchung, die Änderungsbereitschaft des Standortes zu überfordern – Schritt für Schritt eben.

Teambildungs-übungen auf dem Jahrestreffen

Die einzelnen Arbeitselemente der Jahrestagung dauern jeweils zirka drei bis vier Stunden. Der Rest wird mit Teambildungsmaßnahmen gefüllt. Man geht gemeinsam in einen Hochseilgarten, baut gemeinsam eine Seilbrücke oder ein Floß, sammelt in gezielt ausgerichteten Übungen Erfahrungen über Gruppen- und Entscheidungsprozesse oder, oder, oder. In Konzernstrukturen ist es wichtig, dass die Moderatoren aller Standorte sich gut kennen lernen und erfahren, dass sie alle an einem Strang ziehen. Nach ein paar Jahren bleibt es nicht aus, dass auch mal standortübergreifende Themen auftauchen. Und dann ist es gut, wenn man sich kennt und weiß, wie man im Rahmen eines Zweiermoderatorenteams miteinander umgehen kann.

33. Wie gewinne ich die Mitarbeiter fürs Mitmachen?

Vertrauen führt zu Selbstvertrauen

Grundsätzlich neige ich hier zu einer sehr einseitigen Antwort: Durch Vertrauen! Das Vertrauen, das den Mitarbeitern entgegengebracht wird, führt zu deren Selbstvertrauen. Und das führt zu immer besseren Ergebnissen.

Die Stärke des hier dargestellten Verbesserungsprogramms ist zweifelsfrei, dass es grundsätzlich das Potenzial hat, nahezu alle Mitarbeiter eines Unternehmens für eine aktive Mitarbeit am Verbesserungsprozess zu gewinnen. Wenn man die Mitarbeiter mit ihren Kenntnissen über die faktischen täglichen Abläufe weitgehend frei darüber entscheiden lässt, was wie verbessert werden soll, und wenn man sie entsprechende Lösungen mehr oder weniger selbstständig umsetzen lässt, dann sind diejenigen, die sich nicht beteiligen, schnell Außenseiter – nicht umgekehrt.

Die meisten Mitarbeiter erkennen nach einer Weile, dass unterm Strich nicht nur das Unternehmen, sondern ganz besonders sie selbst unmittelbarer Nutznießer der eigenen Verbesserungsarbeit sind. Schließlich macht man sich das Arbeitsleben durch die stetige Verbesserung der Abläufe leichter. Vielleicht könnte es aus Mitarbeitersicht so formuliert werden: „Angenehmer Arbeiten" als Ziel eines Verbesserungsprozesses.

34. Wie bekomme ich „schwierige Mitarbeiter" zum Mitmachen?

So generell und nichtssagend dies klingen mag: Für jeden Mitarbeiter findet sich ein Weg, ihn zum Mitmachen zu bewegen. Der disziplinarische Weg ist dabei sicher der einfachste, aber am Ende auch leider der am wenigsten nachhaltige. Insbesondere im Rahmen von Level 2 besteht die größte Herausforderung darin, solche Mitarbeiter in den Veränderungsprozess einzubinden, die einerseits über viel Erfahrung verfügen und andererseits kein wirkliches Interesse daran haben, sich zu verändern. Es ist unmöglich, auf die Erfahrung dieser Mitarbeiter zu verzichten; andererseits kann man keinen Mitarbeiter zwingen, sich konstruktiv in einen im Grunde demokratischen Prozess einzubringen. Was tun?

Ein Beispiel

Um zu verdeutlichen, dass man manchmal ungewöhnliche Wege gehen muss, mag hier eine kleine Anekdote herhalten, die ich im Rahmen der Einführung von Level 2 genau so erlebt habe:

Nach dem Einführungsvortrag und der Themenfindung ging es vor Ort in die Abteilung, wo von drei Gruppen drei Themen bearbeitet werden sollten. Dort angekommen gab es eine lautstarke Diskussion zwischen dem Abteilungsleiter und einem erfahrenen älteren Mitarbeiter, der offensichtlich kein Interesse daran hatte, sich an dem Verbesserungsprozess zu beteiligen. Er war der Auffassung, er wüsste, wie „seine" Abläufe am besten funktionierten und brauche „diesen Quatsch" nicht. In Wahrheit fielen noch drastischere Aussprüche, aber – Ihr Einverständnis, lieber Leser, vorausgesetzt – verzichte ich hier auf die Original-aussagen.

Jedenfalls startete ich daraufhin ein gewagtes Experiment: Ich ging hin zu – nennen wir ihn mal – Herrn Müller und sagte ihm freundlich, dass er nicht am Workshop teilnehmen müsse, worauf dieser verdutzt war, jedoch das Angebot, sich der Tagesarbeit widmen zu können, dankbar annahm. Nun war Herr Müller mit seiner jahrzehntelangen Erfahrung in seinem Arbeitsgebiet unverzichtbar für die Ergebnisse, die von dem Kollegenkreis erarbeitet werden sollten, dem Herr Müller angehörte. Also entschlossen wir uns, die Diskussionsgruppe zu dem entsprechenden Themenkreis genau vor Herrn Müllers Schreibtisch aufzubauen. Die jungen Kollegen von Herrn Müller führten eine konstruktive Diskussion. Aus dem Hintergrund warf Herr Müller immer wieder mal lautstark ein, dass dieses oder jenes so nicht funktioniere. Anfangs wies ich ihn freundlich zurück, er habe sich ja dazu entschieden, nicht teilzunehmen; nun müsse er eben mit den Ergebnissen leben, die seine jungen Kollegen für die Abteilung erarbeiteten. Nach einer Weile schließlich lud ich ihn basierend auf einem seiner Zwischenrufe ein, er möge mal nach vorne kommen und seine Vorschläge darstellen, sie klängen ja vernünftig. Am Ende des Tages moderierte er die Gruppe – ohne sie zu dominieren.

Für jeden Mitarbeiter gibt es einen Weg, ihn passend anzusprechen

So könnte ich noch einige weitere Beispiele persönlicher Erlebnisse und Lösungen bieten. Die Aussage soll hier jedoch schlicht sein: Für jeden Mitarbeiter gibt es einen individuellen Weg, ihn einzubeziehen und zu motivieren. Es ist die Aufgabe der Moderatoren, diesen Weg zu finden.

35. Wie bringt man erwachsene Menschen dazu, ihren Schreibtisch aufzuräumen?

„Türen auf und zu machen ist nicht Wert schöpfend." Ja, dieser Satz ist wahr, aber bietet man mit Sprüchen dieser Art den Mitarbeitern eines Unternehmens ausreichend Orientierung und Anregung, ihren persönlichen Arbeitsbereich zu überdenken? Im Zuge von Level 1-Workshops erlebe ich es nicht selten, dass sich geschätzte 25 Prozent der Mitarbeiter nach dem Einführungsvortrag mit einer gewissen Selbstverständlichkeit der Tagesarbeit widmen.

Von diesen Teilnehmern muss jeder einzeln „abgeholt" werden. Dabei ist es in vielen Fällen kein böser Wille, wenn die Mitarbeiter sich anfänglich ihrer Tagesarbeit statt Level 1 zuwenden; viele sehen einfach den Wald vor lauter Bäumen nicht.

Hilfe anbieten

Mit Fragen, ob ich helfen könne, beginne ich die dann folgenden Einzelbetreuungen. Meist wird dankend abgewunken, aber ich gebe nicht auf. In der Regel gehe ich dann neben dem Schreibtisch in die Hocke, um nicht auf den an seinem Arbeitsplatz sitzenden Mitarbeiter „herabzublicken". Dann frage ich ihn mit einem Lächeln, ob ich mal einen Blick in diese oder jene Schublade werfen darf, das sei so mein Hobby, in anderer Leute Schreibtische zu schauen. Meist kommt kein Widerstand. Und fast immer finde ich mehrere gleichartige Gegenstände. „Oh, darf ich mal sehen?" oder „Wofür benötigt man denn XYZ?". Das sind in der Regel unverfängliche Fragen, die es mir erlauben, schrittweise und fast unbemerkt ganze Schubladen zu leeren. Wer in der Abteilung fachfremd ist, tut sich oft besonders leicht mit „dummen Fragen". In Industrieunternehmen lasse ich mir – als Nicht-Techniker – gerne die unterschiedlichen Lineale erklären und bringe währenddessen schrittweise den Inhalt der Schubladen auf den Schreibtisch, stets mit einem Lächeln und Spaß an der Sache. Am Ende dieser Schubladenentleerung bitte ich den Mitarbeiter darum, nur noch das Material wieder in die Schublade zu tun, das auch tatsächlich benötigt wird.

Mit dem Verweis auf das Einrichten einer zentralen Materialverwaltung bei der Abteilungsassistentin fassen die meisten Mitarbeiter Vertrauen in die künftige Verfügbarkeit von Büromaterial und sonstigen Hilfsmitteln und sortieren nur noch die wirklich benötigten Dinge wieder ein. In jedem Fall setzen sie sich nun mit dem Thema des Workshops auseinander, denn mit einem Schreibtisch, wie er jetzt aussieht, kann und will der Mitarbeiter sein Tagesgeschäft nicht weiter betreiben. Manch einer grollt ein wenig, die meisten müssen angesichts ihres Müllbergs jedoch schmunzeln, weil sie nun die Notwendigkeit zum Aussortieren unmittelbar sehen.

36. Welche Auswirkungen hat das Konzept auf die Unternehmenskultur?

Als Ausgangssituation vor der Einführung des Verbesserungsprogramms finde ich oft die folgende Situation vor: Die Probleme sind bekannt, Ideen für deren Lösungen sind vorhanden, gesprochen wird jedoch nicht über potenzielle Lösungen, sondern nur über die Auswirkungen der Probleme – und dies nicht in strategisch ausgerichteten Besprechungen, sondern auf den Fluren, in Pausenräumen, Küchen und Kantinen. In vielen Fällen ist die Ursache der Probleme mangelhafte Kommunikation. Diese Erkenntnis ist nicht bahnbrechend, im Einzelfall ist sie vermutlich nicht einmal neu, markanterweise folgt ihr in vielen Fällen jedoch nicht eine Inangriffnahme der Verbesserung des Informationsflusses, sondern eine Veränderung der Zuständigkeiten.

„Endlich reden wir miteinander"; „Endlich werden wir ernst genommen"

Mit der Einführung des hier dargestellten Verbesserungsprogramms wird ein Rahmen geschaffen, in dem die vielen kleinen Probleme eines Unternehmens zielgerichtet besprochen und konsequent gelöst werden. Dies hat fast nicht zu überschätzende positive Auswirkungen auf die Unternehmenskultur. Oft erlebe ich es im Rahmen der mehrmonatigen Einführung des Programms, dass die Mitarbeiter auf mich zukommen und mir sagen, dass sie sich nun „endlich" ernst genommen fühlen.

Mit keiner Silbe möchte ich in Abrede stellen, dass viele Unternehmen ihre Mitarbeiter sehr ernst nehmen. Nur kommt dies bei den Mitarbeitern eben nicht so eindeutig an, wie wenn man ihnen die Möglichkeit einräumt, die Arbeitsabläufe nach den „Bedürfnissen" des Prozesses zu gestalten, in dem sie täglich arbeiten. Das ist wohl so. Ein paar sehr schöne Beispiele, die ich erleben durfte, möchte ich kurz nennen:

In einem Unternehmen, das ich lange begleitet habe, war man mit der so entstandenen Unternehmenskultur sogar im Fernsehen, unter dem Stichwort „Führungskultur" bzw. „Führungsstil". Der ungeplante Höhepunkt dieses Fernsehauftritts war die Antwort eines vom Reporter willkürlich angesprochenen Werksmitarbeiters auf die Frage, wie er es denn finden würde, so viel Verantwortung für die eigene Arbeit zu übernehmen. Seine Antwort: „Hier kann ich so viel Verantwortung übernehmen. Damit fühle ich mich in meiner Berufsehre als Arbeiter so ernst genommen. Für mich gibt es nichts Schöneres als hier zu arbeiten." Die Tatsache, dass diese Aussage in keiner Weise bestellt war (ich war selbst dabei) und in ähnlicher Weise wohl von einer Vielzahl der dort beschäftigten Mitarbeiter hätte abgegeben werden können, zeigt, dass es sich lohnt, den Mitarbeitern Vertrauen entgegenzubringen. Sie greifen diesen Vertrauensvorschuss auf und bringen das Unternehmen nach vorne – mit Begeisterung und Stolz.

Begeisterung und Stolz

Ein anderes schönes – ebenfalls „live" von mir erlebtes – Beispiel ist, dass ein Mitarbeiter nach der Teilnahme an einem Level 3-Workshop am Abend desselben Tages im Rahmen eines Telefonats mit einem Kunden diesem stolz von den Inhalten des Workshops erzählte.

Als drittes Beispiel für eine gelungene Unternehmenskultur sei hier eine Anekdote aus einem Benchmark-Projekt erzählt: Im Zuge der Werksbesichtigung ergab es sich, dass sich die Besucher mit Fragen zum Verbesserungsprogramm an einen der gerade dort tätigen Werksmitarbeiter wendeten, um sozusagen Informationen aus erster Hand zu erhalten. Dieser beantwortete nicht nur bereitwillig die Fragen, sondern erklärte anhand einiger Beispiele stolz, dass es sich bei dem hauseigenen Verbesserungsprogramm nicht um irgendein Verbesserungswesen handle, „sondern um eine Philosophie, um eine Grundeinstellung der Arbeit gegenüber." In den meisten Unternehmen ist man wohl schon froh, wenn man die Mitarbeiter soweit bekommt, dass diese einfach nur mitmachen. Wie auch dieses Beispiel zeigt, treibt die hier dargestellte Vorgehensweise gelegentlich noch weitaus schönere Blüten.

Und auch die Geschäftsleitung ist zuweilen überwältigt von den Effekten, die sich einstellen. Bei einer Abschlusspräsentation in einem Maschinenbaukonzern ergriff der Vorstandsvorsitzende nicht erst am Ende das Wort für eine abrundende Wertschätzung der geleisteten Verbesserungsarbeit. Mittendrin stand er auf einmal auf und zeigte sich fasziniert von dem offensichtlichen Wandel der Unternehmenskultur. Er stand vor den Beteiligten und deutete einzelne heraus: „Leute, dass Sie hier gute Ergebnisse präsentieren, habe ich erwartet. Aber Sie und Sie – Sie haben doch fast zehn Jahre nicht miteinander gesprochen. Und Sie und Sie sind beileibe auch nicht immer einer Meinung. Und heute stehen Sie hier vorne und sagen: WIR wollen dies künftig so tun. WIR sind der Auffassung, dass dieses oder jenes die beste Lösung ist. WIR haben uns dazu entschieden, dieses oder jenes künftig abzustellen. Leute, das ist das größte Frustbewältigungsprogramm, das ich je gesehen habe!"

Prozesskultur durch Miteinander-Probleme-Lösen

So gäbe es noch Dutzende Geschichten zu erzählen. Die Quintessenz der Antwort auf die Frage nach dem Einfluss auf die Unternehmenskultur bzw. besser: auf die Frage, wie man eine prozessorientierte Unternehmenskultur schafft, eine Arbeitskultur, die von Miteinander und Füreinander geprägt ist, lautet: Durch Tun, durch schlichtes kontinuierliches Miteinander-Probleme-Lösen.

37. Eignet sich die Methode für Unternehmen in Krisensituationen?

Mittlerweile habe ich beiläufig auch herausgestellt, dass der hier dargestellte Weg zu Höchstleistungen des Unternehmens und zu motivierten Mitarbeitern einiges an Geduld erfordert. Doch was ist, wenn sich ein Unternehmen in einer Krise befindet? Ist dann ein anderer Weg besser? Oder kann man auch mit dem hier vermittelten Instrumentarium zu guten Ergebnissen gelangen?

Meiner Auffassung nach sollte man in unternehmerischen Krisensituationen nicht unbedingt mit der Veränderung der Ablauforganisation beginnen, sondern im Bedarfsfall mit der situationsgerechten Anpassung der Aufbauorganisation. Und damit ist nicht nur die eindeutige Zuordnung von Verantwortlichkeiten gemeint. Zuweilen ist es notwendig, Layout-Änderungen vorzunehmen. In den Bürobereichen stellt dies erforderlichenfalls eher selten ein Problem dar, in der Produktion hingegen kann man rasch an Grenzen finanzieller Möglichkeiten stoßen.

Je nach Ausgangssituation empfehle ich durchgängig durch das gesamte Unternehmen (Büro und Produktion) entweder einen flussorientierten Aufbau oder den Aufbau überschaubarer selbstständiger Einheiten, die möglichst autonom agieren können. Im Detail gehe ich darauf mit der Beantwortung von Frage 54 ein.

Die Entscheidung für den Umfang struktureller Veränderungen sollte meiner Auffassung nach darauf basieren, wie man dieses Unternehmen aufbauen würde, wenn man auf der „grünen Wiese" neu beginnen dürfte. Ist die Entscheidung dann gefallen, ob und gegebenenfalls welche Umstrukturierungen vorgenommen werden, gilt es, diese rasch umzusetzen und zeitgleich eine Änderung der Arbeitsweise einzuleiten. Ansonsten werden trotz der veränderten Aufbauorganisation eingeschliffene informelle Wege einfach weitergelebt; die Mitarbeiter brauchen eine neue Orientierung.

Neue Orientierung

Sowohl die Entscheidung für den Umfang struktureller Veränderungen als auch die Neuorientierung bei Arbeitsabläufen findet der Führungskreis mittels eines größeren Workshops, der neben Level 3-Vorgehensweisen auch vorgeschaltete Fragen nach einer passenden Marktstrategie beinhalten kann. Insgesamt werden so die größten Schwachstellen des Unternehmens aufgedeckt und entsprechende Lösungsansätze erarbeitet. Am Ende des Workshops sind die Aufgaben transparent und hinsichtlich der Umsetzungsverantwortung klar zugeordnet – mit drei Monaten Zeit für die Umsetzung, egal wie groß die einzelne Aufgabe ist. Schneller ist besser. Kurze interne Statusberichte gibt es alle 14 Tage.

Nach diesen drei Monaten hat sich das Unternehmen entweder spürbar in die richtige Richtung entwickelt oder es hatte nie eine wirkliche Chance zu überleben, weil es nicht die richtigen Mitarbeiter hatte oder gehalten hat.

Wenn das Unternehmen das „Projekt Rettung" gut überstanden hat, gibt es dort nun eine Mannschaft, die zusammenhält, die den gemeinsamen Erfolg zu schätzen weiß und die hungrig auf mehr Erfolg ist, weil sie gelernt hat, dass sie Ungewöhnliches leisten kann. Dieser Mannschaft sollte der rote Teppich für kontinuierliche Verbesserung ausgerollt werden; sie ist nun reif für ein auf Dauer ausgerichtetes Verbesserungsprogramm.

Die Geschichte vom einbrechenden Markt

Auch in Unternehmen, die bereits über ein Verbesserungsprogramm verfügen, wird über Krisen gesprochen. Der beliebteste Aufhänger ist dabei stets die These vom einbrechenden Markt.

Wo kauft der Kunde?

In diesen Situationen, die dann – anders als oben skizziert – nicht ein spezielles Unternehmen, sondern eine gesamte Branche betreffen, stelle ich dann gerne die Frage, wo der Kunde denn kaufen wird, nachdem der Markt eingebrochen ist? Die Antwort ist immer: „Bei dem Unternehmen, das gute Qualität schnell und zu einem vernünftigen Preis liefern kann". Arbeiten Sie denn mit einem Verbesserungsprogramm nicht genau daran??

Einbrechender Markt als Chance

Nach meiner Auffassung birgt ein einbrechender Markt trotz kurzfristiger Ärgernisse mittelfristig sogar mehr Chancen als Risiken in sich. Kaum eine Situation erlaubt es dem Unternehmen deutlicher zu zeigen, wie viel besser es ist als die Konkurrenz. Wirklich wettbewerbsfähigen Unternehmen gelingt es in Krisensituationen, Marktanteile hinzuzugewinnen, die sich das Unternehmen in „normalen" Zeiten nur mit deutlich mehr Aufwand hätte erarbeiten können. Mit diesen „territorialen" Zuwächsen wird die Ausgangssituation für den nächsten Aufschwung deutlich verbessert.

Sicher, in extremen Fällen mag es so kommen, dass der Markt soweit einbricht, dass das Unternehmen schließlich dazu gezwungen ist, sich von dem einen oder anderen Mitarbeiter zu trennen. Doch wird die Situation niemals so dramatisch werden, wie sie es gewiss würde, wenn man das Thema Verbesserungen nicht schon längst engagiert aufgegriffen hätte.

38. Lässt sich die Methode auch für Integrationsprojekte nutzen?

Mit der primären Ausrichtung auf Menschen statt auf Zahlen ist die vorgestellte Methode grundsätzlich gut geeignet, um im Rahmen von Integrationsprojekten unter Beteiligung von „Bescheidwissern" beider Unternehmen (Käufer und Gekaufter) aufzuzeigen, ob die Schnittstellen zwischen der Muttergesellschaft und der neuen Tochtergesellschaft günstig gewählt und Prozessveränderungen passend sind oder nicht.

Gemeinsames Erarbeiten führt zum Erfolg

Bringt man Teile der hier dargestellten Methode im Rahmen einer Integration zum Einsatz, muss das Vorzeichen eindeutig lauten: Mitarbeiter gleicher Funktionen stellen ihre künftige Zusammenarbeit gemeinsam auf solide Füße. Behält sich die Muttergesellschaft hingegen ein „Veto" vor, ist es aus meiner Sicht tendenziell vergebene Liebesmühe, optimale Abläufe zu erarbeiten und vorzuschlagen. Das Ergebnis lautet dann nicht selten: Konzernregularien vor Vernunft.

39. Ist die Methode auch in anderen Kulturkreisen einsetzbar?

Mit kulturellem Fingerspitzengefühl überall umsetzbar

Klar. Ich persönlich habe sie schon mit großem Erfolg in mehreren Ländern eingesetzt. Jedoch sollte man sich in jedem Fall darüber bewusst sein, dass andere Länder andere Sitten haben. Dies gilt auch für das Arbeitsleben. Beispielsweise gibt es in den USA andere Vorstellungen zum Thema Bürogestaltung. „Cubicals" sind dort nach wie vor hoch im Kurs, egal wie klein diese sind. In Skandinavien wird man auf verfestigte Hierarchien und entsprechendes Entscheidungsverhalten stoßen – auch wenn dort die Werksmitarbeiter den Firmenchef mit Vornamen anreden. Und in Spanien oder Osteuropa wird vielleicht eher mal fünf gerade sein gelassen – was sich auch in der Büro- und Werkstattordnung widerspiegelt. Berücksichtigt man jedoch die jeweiligen kulturellen Besonderheiten, steht der erfolgreichen Einführung nichts entgegen.

40. Was leistet die Methode für das Hauptziel eines Unternehmens, nämlich den Gewinn zu steigern?

Kostensenkung

Viel. Sehr viel. Durch die kontinuierliche Verbesserung aller Abläufe gelingt es, mit einer weitgehend gleich bleibenden oder geringfügig anwachsenden Mannschaft erheblich den Durchsatz zu steigern und damit die absoluten Kosten pro Auftrag zu senken (vgl. Kapitel 3). Dies hilft unserer Wettbewerbsfähigkeit in preisbewussten Märkten mit Serien- oder Massenprodukten, insbesondere jedoch in Märkten, die exzellente Liefergeschwindigkeit mit richtig satten Entgelten honorieren, allen voran im Anlagenbau. Die Möglichkeit, den Verkaufspreis des Produkts zu erhöhen, ist in diesem Wirtschaftszweig genau genommen der Haupteffekt der hier dargestellten Vorgehensweise.

Geschwindigkeit als Wettbewerbsvorteil

Nehmen wir an, ein Betreiber einer Anlage – eines Kraftwerkes, einer Raffinerie oder einer sonstigen industriellen Anlage – bestellt eine Komponente bei uns. Wir wissen aus Erfahrung, dass der Ausfall einer solchen Anlage den Betreiber pro Tag leicht 1 Million Euro kosten kann, in manchen Fällen sogar bis zu 3 Millionen Euro. Wenn der Anlagenbetreiber nun durch den Erwerb einer Schlüsselkomponente seine Anlage eine Woche oder gar einen Monat früher in Betrieb nehmen kann, dann wird er auch bereit sein, etwas mehr dafür zu bezahlen, in einigen Fällen sogar deutlich mehr. Im Anlagenbau ist Liefergeschwindigkeit wohl DER Wettbewerbsvorteil; Qualität wird vorausgesetzt.

Mein Aushängeschild ist in diesem Zusammenhang ein Maschinenbauunternehmen, in dem – begleitend zu dem Verbesserungsprogramm – systematisch die Preise erhöht werden. Und der Markt nimmt dies nicht nur an; dem Unternehmen werden die Türen eingerannt, weil mittlerweile keiner in der Branche schneller liefern kann. Ausgehend von einem bereits guten Niveau wurde der Unternehmensgewinn innerhalb weniger Jahre versechzehnfacht! Unglaublich, aber wahr.

Auch in anderen Branchen lassen sich mit zunehmender Prozess-geschwindigkeit nicht nur die Kosten pro Auftrag senken, sondern weitere Wettbewerbsvorteile generieren. In einem Zahnärzteverbund beispielsweise wird die gewonnene Zeit systematisch für das persönliche Gespräch mit dem Patienten genutzt. Dieser fühlt sich – im doppelten Sinne – besser behandelt. Darüber hinaus nimmt er unterm Strich mehr entgeltpflichtige Leistungen in Anspruch, die ihm sonst nicht hätten bekannt gemacht werden können. Durch die sehr persönliche und individuelle Beratung bzw. Betreuung genießen die Zahnarztpraxen dieses Verbunds einen sehr hohen Zuspruch und können ihren regionalen Marktanteil immer weiter ausbauen.

41. Kann der Erfolg der Methode eindeutig nachgewiesen werden? Oder: Welche Kennzahlen benötige ich?

Schaut man sich die Ergebnisse an, die in der vorigen Frage dargestellt wurden, könnte man dazu geneigt sein, die Frage nach dem eindeutigen Nachweis als hinfällig zu betrachten. Zwar gelangt man mit der hier dargestellten Methode durchweg zu guten Ergebnissen, jedoch bleiben außergewöhnliche Ergebnisse die Ausnahme, denn nur wenige Unternehmen sind bereit, den langen Atem zu zeigen, der notwendig ist, um das hier dargestellte Verbesserungsprogramm so konsequent und diszipliniert umzusetzen, wie es beispielsweise bei dem Maschinenbaukonzern geschehen ist, auf den ich mich in der vorigen Frage bezogen habe. So macht es Sinn, passende Kennzahlen zu entwickeln, mit denen man die Verbesserung des Unternehmens abbilden und steuern kann. Nähern wir uns diesem wichtigen und zum Teil kontrovers diskutierten Thema jedoch schrittweise an und entwickeln eine etwas breitere Perspektive:

Kennzahlen – ein kontrovers diskutiertes Thema

Die Messwut greift um sich, insbesondere im regelverliebten Deutschland. Und vieles, sehr vieles erscheint auf den ersten Blick interessant. In vielen – insbesondere großen – Unternehmen kann man heute feststellen, dass mit Ehrgeiz daran gearbeitet wird, Kennzahlen für möglichst alle Vorgänge zunächst zu erarbeiten und dann entsprechende Daten periodisch mit Akribie zu erheben. Aber für welche der Gegebenheiten ist es wirklich wichtig, darüber in Euro und Cent Bescheid zu wissen? Welche Kennzahlen helfen uns wirklich, unser Geschäft zu steuern? Wie schon in Kapitel 4 erwähnt, bin ich persönlich der Auffassung, dass wenige durchdachte Kennzahlen ihren Zweck besser erfüllen, als Dutzende halb durchdachter Kennzahlen. Unternehmens- und branchenübergreifend nehme ich jedoch einen stillen Wettbewerb um die komplizierteste Kennzahl, den kompliziertesten Erhebungsprozess und das umfangreichste Kennzahlensystem wahr.

Das Kennzahlen-system muss zur Ausrichtung des Unternehmens passen

Daher möchte ich hier erneut die Grundsatzfrage nach der Ausrichtung oder vielleicht sogar „Philosophie" stellen, mit der ein Unternehmen seine Wettbewerbsfähigkeit erhöhen möchte (vgl. Kapitel 3): Will ich schwerpunktmäßig Kosten senken oder schwerpunktmäßig den Durchsatz erhöhen? Nach der Beantwortung dieser Grundsatzfrage richtet sich letztendlich das gesamte Kennzahlensystem, das es dann systematisch aufzubauen gilt.

Im einen Fall konzentriert man sich darauf, die Kostenentwicklung zu messen, im anderen Fall liegt der Schwerpunkt in der Erfassung der Prozessverbesserung und deren Folgen. Sicher, man kann beides parallel tun. Aus betriebswirtschaftlicher Vernunft heraus sollte man dies sogar. Jedoch muss ich mich ganz klar entscheiden, auf welchem der beiden Aspekte mein Fokus liegen soll, weil ich sonst möglicherweise immer wieder Kennzahlen ins Spiel bringe, die systemisch keinen Sinn ergeben und die mich dazu verleiten, „unpassende" Fragen an das System (Unternehmen und Kennzahlensystem) zu stellen – Fragen, die das System durch dessen Grundausrichtung nicht zufrieden stellend beantworten kann, weil es nicht auf die Beantwortung von Fragen dieser Art ausgerichtet ist. Das klingt nun sehr abstrakt. Salopp könnte man es in Anlehnung an Kapitel 3 auch so darstellen: Kostensenkungen stehen repräsentativ für „Verringerung", Prozessverbesserung bzw. die Beseitigung von Engpässen steht repräsentativ für „Wachstum". Fragen, die zu einer Ausrichtung auf Wachstum passen, führen in einem auf das Einsparen von Kosten ausgerichteten Unternehmen zu Verwirrung. Umgekehrt kann in einem Unternehmen, das auf Wachstum ausgerichtet ist, die Frage nicht verstanden werden, wie viel denn verringert wurde.

Ausgenommen von diesem Konflikt, dies sei hier angemerkt, sind die Materialkosten. Sowohl das Verhandeln besserer Verträge mit den Lieferanten als auch die Weiterentwicklung des verwendeten Werkstoffs bzw. das Ausprobieren neuer Werkstofflösungen und daraus folgende Materialkosteneinsparungen führen in jedem Fall zu einer Verbesserung des Geschäftsergebnisses und sind damit unabhängig von der Grundorientierung eines Unternehmens.

Wenn also die Frage der Grundorientierung für das Unternehmen beantwortet ist, gilt es, passende Kennzahlen oder besser: ein passendes Kennzahlensystem zu erarbeiten. Im Folgenden biete ich dazu eine kleine Auswahl von Kennzahlen, die aus meiner Sicht sinnvoll sein können – je nach unternehmerischem Fokus. Unabhängig davon, welchen Fokus Sie gewählt haben, sollte die Leitfrage bei der Entscheidung für oder gegen eine bestimmte Kennzahl sein: Wenn sich diese Kennzahl ändert, ändert sich dann auch mein unternehmerischer Erfolg? Falls Sie dies verneinen müssen, fällt die entsprechende Kennzahl vermutlich in die Kategorie „Nice to have". Das Erzeugen und Erheben solcher Nice-to-have-Kennzahlen gilt es zu vermeiden, denn wie schon am Ende von Kapitel 2 erwähnt, besteht der Zweck eines Unternehmens im Wesentlichen darin, Geld zu verdienen. Entsprechend müssen alle Kennzahlen zur Umsatzrendite (EBIT) führen oder aus dieser abgeleitet sein, möglichst unmittelbar. Auch Kennzahlen, die aufgrund unvollständiger Erhebungen oder gar nur Stichprobenerhebungen an ihrer tatsächlichen Aussagekraft Zweifel aufkommen lassen, sollten tendenziell außen vor bleiben.

Leitfrage für Kennzahlen

Die beiden aus meiner Sicht wichtigsten Kennzahlen wurden in Kapitel 4.2 schon einmal erwähnt. „EBIT pro Mitarbeiter" gibt periodisch Auskunft darüber, wie das Unternehmen seinem Hauptziel gerecht wird, Geld zu verdienen. Dabei ist im Hinterkopf zu behalten, dass der so ermittelte Wert trotz gestiegener Leistungsfähigkeit des Unternehmens vorübergehend auch einmal sinken kann, wenn in einer Periode deutlich mehr als in vorangegangenen Perioden investiert wurde. Die zweite wichtige Kennzahl, das Verhältnis von Liegezeit zu Bearbeitungszeit, bildet die „Prozessgüte" eines Unternehmens ab, das Fließen – oder gegebenenfalls das Liegen bzw. Warten – von Informati-

Zwei wichtige Kennzahlen

onen und Material entlang des Geschäftsprozesses. Wie weiter oben schon erwähnt, ist diese Kennzahl nicht ohne weiteres in jeder Branche und für jede Funktion zu erheben, aber für viele Funktionen, insbesondere in Produktionsbereichen. In den Unternehmensbereichen, in denen sich diese Verhältniskennzahl nicht oder nur mit unverhältnismäßigem Aufwand ermitteln lässt oder gar zu einem Verstoß gegen das Betriebsverfassungsgesetz führen würde, bietet es sich alternativ an, die Durchlaufzeit von Aufträgen intensiv im Auge zu behalten.

Kennzahlen mit dem Schwerpunkt „Gesamtes Unternehmen"

Unternehmens-kennzahlen

- Auftragseingang: in Währungseinheit (pro Monat oder Jahr)

- Umsatz: in Währungseinheit (pro Monat oder Jahr)

- Umsatz / Mitarbeiter

- Deckungsbeitrag: Anteil des Umsatzes, der über die variablen Kosten hinausreicht, um die Fixkosten zu decken

- Umsatzrendite: Jahresüberschuss / Umsatz x 100 %

- EBIT (Earnings before interest and taxes): Gewinn vor Steuern und Fremdkapitalzinsen, meist als Prozentsatz im Verhältnis zum Umsatz dargestellt (EBIT wird in den meisten Unternehmensterminologien mit „Umsatzrendite" gleichgesetzt)

- EBIT / Mitarbeiter

- EBITDA (Earnings before interest and taxes and depreciation): Gewinn vor Steuern, Fremdkapitalzinsen und Abschreibungen

- EBT (Earnings before taxes): Gewinn vor Steuern Anmerkung: In Unternehmen mit sehr hohem Eigenkapitalanteil wird die gängige Hauptkenngröße EBIT oft durch EBT ersetzt.

- ROI (Return on Investments): Jahresüberschuss / Umsatz x 100 % x Umsatz / Investitionen

- Rentabilität (in Prozent): Gewinn / eingesetztes Kapital

- Cash-Flow:
  - brutto: Jahresüberschuss + Abschreibungen des Vorjahres – Zuschreibungen des Vorjahres +/- Änderung Pensionsrückstellungen
  - netto: Cash-Flow (brutto) – Ausschüttungen des Vorjahres

- Materialquote: Materialkosten / Umsatz

- Personalquote: Personalkosten / Umsatz

- Anzahl der Mitarbeiter

Kennzahlen mit dem Schwerpunkt „Prozesse"

Prozess-
kennzahlen

- Durchlaufzeit (1): Liegezeit + Bearbeitungszeit

- Durchlaufzeit (2) (im ganzen Unternehmen, in jeder Abteilung, am einzelnen Arbeitsplatz): Bestände durch Kapazität

- Flow (1): Anzahl der Vorgänge / Anwesenheitszeit (Ist nur dann sinnvoll, wenn die Vorgänge vergleichbar sind. Im industriellen Serien- bzw. Produktgeschäft ist dies gegeben, im Projektgeschäft nicht unbedingt, im Dienstleistungsbereich ebenfalls eher selten.)

- Flow (2): Liegezeit / Bearbeitungszeit

- Liegezeit: Durchlaufzeit - Bearbeitungszeit

- Durchsatz (1): Umsatz / Mitarbeiter

- Durchsatz (2): Anzahl ausgelieferter Produkte / Mitarbeiter

- Durchsatz (3): Verdiente Menge Geld (EBIT) / Mitarbeiter

- Liefertreue:
  - im Geschäftsprozess: Vertragsdatum eingehalten? Ja/Nein
  - in der Abteilung: interner Kunde bewertet die Leistung des internen Lieferanten (Fragebogen)

- Auslastung in Prozent (Ziel ist jedoch nicht hundertprozentige Auslastung, sondern Prozessfähigkeit und Fähigkeit zum „Atmen" erhalten)

- Prozessschleifen: Wie häufig landet ein Vorgang wieder in einer Abteilung, die für dieses Projekt bereits eine Leistung erbracht hat?

- Informationsgleichstand bzw. Informationsaustausch durch gute Prozessorganisation: Wie viele Sitzungen/Besprechungen bzw. Sitzungs-/Besprechungsminuten werden für den Informationsgleichstand bzw. Informationsaustausch benötigt?

- Gesamtanlageneffizienz (GEFF) bzw. Overall Equipment Efficiency (OEE): Verfügbarkeit x Leistungsfaktor x Qualitätsfaktor

- Overall Personal Efficiency bzw. Overall Team Efficiency (OPE/OTE): Verfügbarkeit x Leistung x Qualität

- Reaktionszeit:
  - Reaktionszeit auf Anfragen: Wie lange dauert es, bis ein Angebot abgegeben wird? (Ist nur sinnvoll, wenn die einzelnen Vorgänge vergleichbar sind)
  - Wie oft muss das Telefon klingeln? Wie oft wird weiter verbunden?

- Verfügbarkeit der Arbeitsleistung, Bestände:
  - Anzahl ungelesener E-Mails
  - Anzahl E-Mails im E-Mail-Eingang (Erhebung nur sinnvoll, wenn bearbeitete E-Mails konsequent aus dem Eingang entfernt werden)

- Höhe der Papierstapel auf Schreibtisch (in Zentimetern)
- Vorratsbestände (in Währungseinheit oder/und Stückzahl)
- Umlaufbestände (in Währungseinheit oder/und Stückzahl)

- Suchzeiten: exemplarisch oder stichprobenartig mit der Stoppuhr erheben, ggf. Vorher-Nachher-Vergleich

- Produktivität bzw. Effizienz
(Für erste Kennzahl pro Funktion: Vergleiche auch „Flow 1"):

  - Einkauf: - Anzahl Bestellungen / Zeiteinheit
    - benötigte Zeit für eine Bestellung

  - Vertrieb: - Anzahl abgegebener Angebote / Zeiteinheit
    - Angebotsbearbeitungszeit

  - Konstruktion: - Anzahl Konstruktionen / Zeiteinheit
    - durchschnittlich benötigte Zeit für Konstruktion

  - Produktion: - gemeldete Bearbeitungs- bzw. Montagezeit / Anwesenheitszeit

  - Projekt-Management: - Anzahl bearbeiteter Aufträge / Zeiteinheit
    - benötigte Zeit für Auftragsbearbeitung

  - Allgemein: - Flächenproduktivität: Durchsatz / Fläche
    - Mitarbeiterproduktivität: Durchsatz / Mitarbeiter

- Effizienz Gesamtauftrag: Stunden / Auftrag
  → Zusatzfragen: - Wie werden Fixkosten genutzt?
    - Werden Überstunden abgebaut?

- Bürokratieaufbau/-abbau:
  - Anzahl der periodisch erfassten Kennzahlen
  - Anzahl der Controlling-Tätigkeiten
  - Anzahl der Berichte bzw. Berichtsrunden und -Meetings
  - Anzahl der Formalisierungen (Arbeitsanweisungen, Verfahrensanweisungen etc.)

- Bürogestaltung bzw. Level 1:
  - Möbel: Anzahl der Möbel pro Mitarbeiter
  - Papier: entsorgte Kilos Papier (gesamt / pro Mitarbeiter)
    (Beide Kennzahlen tendenziell nur im Zuge der Einführung von Level 1 zur Motivation der Mitarbeiter, Abteilungsvergleich)
  - Wege: Entfernungsmeter und Häufigkeiten

- Prozessverbesserung (Kosten): Umsatz / Personalkosten
  (Diese Kennzahl könnte man auch „Unterproportionalen bzw. vermiedenen Personalaufbau" nennen. Diese Kennzahl empfehle ich prozessorientiert denkenden Menschen in an Kostensenkungen orientierten Unternehmenskulturen. Basierend auf dieser Kennzahl können mit etwas Extraaufwand Prozessverbesserungen in Form von vermiedenen Kosten abgebildet werden.)

Kennzahlen mit dem Schwerpunkt „Kosten"

Kosten-kennzahlen

- Abteilungskosten: Gehälter + Auftragsbeschaffungskosten (bspw. Flüge, Telefonate …) + Bearbeitungskosten

- IT-Kosten: Speicherplatz, ggf. + IT-Personalkosten

- Personalkostenanteil: siehe „Personalquote" (Kennzahlen mit Schwerpunkt „Gesamtes Unternehmen")

- Materialkosten

- Beschaffungskosten

- Gewährleistungskosten (absolut, pro Baugruppe, Serie, ...)

- Ausschuss (absolut, pro Baugruppe, Serie, ...)

- Nacharbeitskosten (Material- und Personalaufwand)

- Bestände (absolut oder als Prozent vom Umsatz)

- Instandhaltungskosten (absolut oder als Prozent vom Umsatz)

Kennzahlen mit dem Schwerpunkt „Abteilung" bzw. „betriebliche Funktion"

Funktions-kennzahlen

- Entwicklung:
  - Erfüllungsgrad des Entwicklungsplans in Prozent
  - Anzahl der verkauften Produkte eines Jahres, die in den vergangenen X Jahren neu oder weiter entwickelt wurden
    (Diese Kennzahl zeigt, wie die Zusammenarbeit zwischen Vertrieb und Entwicklung funktioniert: Gibt der Vertrieb mit seiner Marktkenntnis die passenden Impulse in die Entwicklung? Werden Produkte passend zu den Marktanforderungen (weiter-)entwickelt?)

- Qualität:
  - Nacharbeit: geleistete Stunden
  - Ausschuss: siehe oben
  - Gewährleistungskosten: siehe oben
  - Fehler: Befragung des internen Kunden

- Einkauf:
  - Materialkosten
  - Beschaffungskosten (Materialkosten, Abteilungskosten, Fracht/Transport)

- Verbesserungswesen:
  - Anzahl geplanter bzw. durchgeführter Workshops
  - Anzahl definierter bzw. umgesetzter Maßnahmen

Kennzahlen mit dem Schwerpunk „Mitarbeiter"

Mitarbeiter-
kennzahlen

- Gesundheitsstand: in Prozent

- Mitarbeiterzufriedenheit: Mitarbeiterbefragung (5er-Skala; Ergebnis = Note von 1 bis 5)

- Unternehmenskultur bzw. Vertrauen in Management oder auch „Mitarbeiterzufriedenheit": Wie viele Mitarbeiter kommen anteilig an der Gesamtbelegschaft auf eine Unternehmensfeier?

- Beteiligungsquote Verbesserung: Anteil der Belegschaft, die in einer Periode an Verbesserungsaktivitäten teilnehmen (in Prozent).

- Arbeitssicherheit: Anteil der Unfälle pro 100.000 geleistete Arbeits- bzw. Fertigungsstunden

Anmerkung: Wie oben schon betont, bin ich sehr dafür, möglichst nur solche Kennzahlen ins Kennzahlensystem aufzunehmen, deren Veränderung einen unmittelbaren Einfluss auf das Geschäftsergebnis haben und die unbedingt notwendig sind, um das Geschäft erfolgreich zu steuern – nach dem Motto: Ein Prozess ist dann optimal, wenn man nichts mehr weglassen kann, nicht, wenn man nichts mehr hinzufügen kann. Trotz dieser sicherlich hilfreichen Grundeinstellung gibt es Kennzahlen, die diesem hohen Anspruch zwar nicht gerecht werden, aber dennoch helfen, eine bestimmte betriebliche Funktion unmittelbar zu steuern und daher durchaus sinnvoll sein können. Als Beispiele für solche Kennzahlen seien hier mit Blick auf das

Verbesserungsprogramm die Anzahl durchgeführter Workshops und die Anzahl umgesetzter Verbesserungsmaßnahmen genannt. Auch kann sich durch ein gutes Verbesserungsprogramm das Verhältnis vom Umsatz zu den Personalkosten sehr erfreulich entwickeln – oder umgekehrt auf Verbesserungsbedarf hinweisen.

Damit etwas zum Erfolg führt, muss es nicht unbedingt gemessen werden

Damit soll jedoch nicht wieder die Tür für das hemmungslose Erzeugen von „Nice-to-know-Kennzahlen" geöffnet werden. Insbesondere mit Blick auf Kennzahlen, die die Erfolge der Verbesserungsaktivitäten abbilden sollen, möchte ich daher an dieser Stelle noch einen Erfahrungswert hinzufügen: Damit etwas zum Erfolg führt, muss es nicht unbedingt gemessen werden. Genau genommen, ist es bei „lehrbuchmäßigem" Einsatz der hier dargestellten Methode sogar so, dass durch die Fokussierung von insbesondere kleinen Verbesserungsmöglichkeiten das Erbringen eines Nachweises für die erzielten Verbesserungen oft sehr schwierig ist.

Messen von „Suchzeiten"

Betrachten wir dazu beispielsweise das sehr zentrale Thema „Suchzeiten". Nehmen wir an, ein ganzer Bürobereich hat es geschafft, seine Ablage so zu strukturieren, dass alle Dokumente auf eine gemeinsam vereinbarte einheitliche Art und Weise in einer nun übersichtlichen Ablagestruktur abgelegt werden. Bravo! Es ist wohl unstrittig, dass die neue Struktur sowie auch die Art des Ablegens innerhalb der Abteilung zu einer Verringerung von Suchzeiten einerseits und zu einer Verringerung abteilungsinterner Rückfragen andererseits führen. Auch ist der (interne oder externe) Kunde nicht mehr abhängig von der Anwesenheit eines bestimmten Mitarbeiters in der Abteilung, aus der heraus die Informationen zu liefern sind; dort sind die gewünschten Informationen nun für jeden Mitarbeiter problemlos auffindbar; die Lieferfähigkeit der Abteilung ist gewährleistet. Als Mitarbeiter der Abteilung mit der neuen Ablage sind wir stolz auf diese Verbesserung und möchten sie vielleicht sogar im sportlichen Wettbewerb zu anderen Bereichen nachweisen. Dazu müssten wir die für die Suche aufgewendete Zeit von vor der Verbesserung mit der nach der Verbesserung vergleichen können. Aus meiner Sicht zeigt dieses Beispiel gut, dass es in Einzelfällen zwar durchaus sehr interessant erscheint, einen Wert zu erheben und dessen Entwicklung zu beobachten. Ebenso zeigt es jedoch, dass die Erhebung allenfalls stichprobenartig durchgeführt werden kann, was dann die Repräsentativität der Ergebnisse anzweifeln lässt – nicht nur wegen der Anzahl der Erhebungen, sondern ganz besonders auch wegen der besonderen Situation, in der sich die Beobachteten in der Regel nicht „normal", sondern tendenziell leistungsstark verhalten (Vgl. dazu auch die seit Jahrzehnten geführte Diskussion um das so genannte „wissenschaftliche Experiment" von Frederick Taylor). Weiterhin ist es nicht unwahrscheinlich, dass der Akt der Erhebung Schaden beim Vertrauen der Mitarbeiter anrichtet. Wer wird schon gerne beobachtet und „gemessen"?!

Hier stellt sich mir die Frage, warum man stattdessen nicht einfach auf die logische Herleitung des Nutzens vertraut? Verbesserte Ablagestrukturen und einheitliches Ablegen führen sozusagen zwangsweise zu verringerten Suchzeiten und weniger Rückfragen und damit zu einer Beschleunigung des Prozesses.

Noch ein Beispiel

Ein weiteres Beispiel: In der Einkaufsabteilung eines Unternehmens mit Einzelfertigung wurde ein Level 2-Workshop durchgeführt, in dem unter anderem die folgenden zwei Maßnahmen festgelegt wurden:

1. Bestellungen bis zu einem bestimmten Wert werden nur noch per E-Mail verschickt. Man spart sich den Aufwand für das Ausdrucken, Unterschreiben, Zum-Fax-Gerät-Bringen, Blatt-aufs-Faxgerät-Legen, Fax-Nummer-Wählen, Warten bis das Fax gesendet ist, Warten auf den Sendebericht, das Zurück-an-den-Platz-Gehen, das Zusammentackern der Dokumente, das Lochen, das Öffnen des Schranks, das Herausnehmen des Ordners, das Abheften, das Zurückstellen des Ordners und das Schließen des Schranks – im konkreten Fall in einem Unternehmen mit gut 500 Mitarbeitern mehr als 12.000 mal pro Jahr!

2. Umgekehrt will man in diesem Unternehmen bis zu einem bestimmten Auftragswert keine Auftragsbestätigung mehr haben. „Lieber Lieferant, wir vertrauen Dir. Bitte verschone uns mit vermeidbarem Papierkram." Dies betrifft in demselben Unternehmen zirka 4.500 Vorgänge pro Jahr. Insgesamt funktionieren also durch nur zwei Maßnahmen insgesamt gut 16.500 einzelne Vorgänge pro Jahr besser.

Auch für diese Beispiele ist wohl völlig unstrittig, dass die Verbesserungen grundsätzlich zu einer Verkürzung von Bearbeitungs- und Durchlaufzeiten führen. Die umgesetzten Maßnahmen haben damit einen unmittelbaren Einfluss auf den Durchsatz, die verdiente Menge Geld pro Zeiteinheit. Unterm Strich steigt der Gewinn, denn die Kosten pro produziertem Produkt sinken mit jeder Maßnahme. Dies ist logisch. Wie jedoch an diesen zwei Beispielen deutlich wird, ist es in vielen Fällen schwierig, den Nutzen exakt in Kennzahlen festzuschreiben.

Herleitung des Nutzens ohne periodische Kennzahlen

Vielleicht hilft es angesichts dieser Beispiele, sich den Effekt vor Augen zu führen, der eintritt, wenn in jeder Abteilung jährlich mindestens drei Workshops plus eine angemessene Anzahl abteilungsübergreifender Schnittstellen-Workshops durchgeführt werden, mit jeweils – sagen wir einmal – „nur" fünf umgesetzten Maßnahmen. Für Ihre Berechnung müssten Sie kurz überschlagen, wie viele Abteilungen es in Ihrem Unternehmen gibt und diese Zahl mit 3 (Workshops) und das Ergebnis dann nochmals mit 5 (Maßnahmen) multiplizieren. Jede der so fiktiv errechneten Verbesserungen betrifft jeden Auftrag mindestens ein Mal. Ist eine verbesserte Tätigkeit bei der Abarbeitung jedes Auftrags mehrfach auszuführen, ist sie für die Berechnung entsprechend häufiger zu berücksichtigen. Zur Ermittlung des Effekts, den das Verbesserungsprogramm hat, ist die bislang errechnete Zahl nun mit der Anzahl jährlich zu bearbeitender Aufträge zu multiplizieren. Schon in mittelständisch geprägten Unternehmen mit Einzelfertigung und wenigen Hundert Mitarbeitern laufen nach zwei bis drei Jahren Verbesserungsaktivität jährlich hunderttausende einzelner Vorgänge besser als vor der Einführung des Programms. In Unternehmen mit Serien- oder gar Massenfertigung ist die Berechnung noch eindrucksvoller.

Angesichts der Ausführungen in den letzten paar Absätzen sehen viele, dass das detaillierte Messen des Beitrags aller Maßnahmen zum Unternehmenserfolg nicht wirklich möglich ist und wohl auch nicht zur Erreichung des Ziels beiträgt, die Umsatzrendite zu steigern. Insbesondere in großen Unternehmen erlebe ich es dennoch oft, dass weiterhin der Ergeiz vorhanden ist, für möglichst jede einzelne erzielte Verbesserung einen in Geld zu bewertenden Nachweis zu erbringen. Der Gedanke, der dann meist aufkommt ist: „Besser gut geschätzt als schlecht gerecht". Aber auch das Erzeugen solcher auf Schätzungen basierender Belege erzeugt Aufwand – und zuweilen nicht wenig. Vor allem aber stellt sich die Frage, für wen diese Belege erstellt werden sollen? Der Kunde möchte nur sein Produkt. Der Investor wünscht sich ein möglichst profitables Unternehmen. Keiner von beiden fragt nach Belegen für erfolgreiche Zwischenschritte auf dem Weg zum jeweiligen Ziel. Und dennoch werden in vielen, insbesondere in großen Unternehmen empirische Belege gefordert, möglichst für jeden Einzelfall, egal wie klein die einzelne Verbesserungsmaßnahme ist. Dies lohnt es sicher zu überdenken.

Weder Kunden noch Investoren fragen nach Kennzahlen

Fazit dieser Diskussion: Es ist unbestritten, dass Kennzahlen notwendig sind, um alle Aktivitäten im Unternehmen zielgerichtet steuern zu können – auch den Verbesserungsprozess. Dabei gilt es jedoch, sich auf die Kennzahlen zu beschränken, die dazu wirklich benötigt werden. Ein Zahlenkult hingegen führt meiner Erfahrung nach dazu, dass im Rahmen der Verbesserung nur wenige, dafür aber messbare Großprojekte durchgeführt werden (dürfen). Das enorme Potenzial der hier dargestellten Vorgehensweise, das in der Identifizierung und Umsetzung einer unendlich erscheinenden Anzahl kleiner und kleinster Verbesserungsmöglichkeiten liegt, würde sicher ebenso auf der Strecke bleiben wie die Möglichkeit, über die weiter oben dargestellte Breitenwirkung des Verbesserungsprogramms eine prozessorientierte Unternehmenskultur zu erzeugen.

Fazit: Kennzahlen mit Vernunft und Augenmaß festlegen

Für diejenigen Leser, die sich nun zwischen meinen Darstellungen einerseits und einer möglicherweise dominanten hauseigenen „Controlling-Kultur" andererseits hin- und hergerissen fühlen, möchte ich es an dieser Stelle nicht schuldig bleiben, einen Ansatz zu bieten, wie man mit Fragen nach der Nachweisbarkeit des Erfolgs von Verbesserungsprogrammen der hier dargestellten Art pragmatisch umgehen kann: Bilden Sie das oben schon mehrfach erwähnte Verhältnis vom Umsatz zu den Personalaufwendungen. Wenn bei steigendem Umsatz die Personalkosten nicht oder unterproportional steigen, ist dies auf Steigerungen der Produktivität und des Durchsatzes zurückzuführen, die ihrerseits aus dem Verringern von Verschwendung resultieren. Wie schon mehrfach erwähnt, ist das Ergebnis letztlich eine Verringerung der Personalkosten pro hergestelltem Produkt bzw.

Ein versöhnlicher Vorschlag

pro erbrachter Leistung. Dies in Zahlen aufbereitet stimmt in der Regel auch hartgesottene Controller milde, denn Sie haben damit zwar keine detaillierte Darstellung des Beitrages einzelner Maßnahmen zum Geschäftserfolg geboten, aber Sie haben mit vertretbarem Aufwand eine nachvollziehbare Antwort auf die Frage nach dem Nutzen des Verbesserungsprogramms gegeben. Hinzu kommt, wie an verschiedenen Stellen schon erwähnt, dass das Unternehmen auf Grund der verkürzten Durchlauf- und Lieferzeiten je nach Branche entweder in der Lage ist, mehr Geld für seine Produkte zu verlangen oder den Marktanteil zu vergrößern oder die gewonnene Zeit dafür zu nutzen, dem Kunden weitere Leistungen anzubieten, wofür vorher keine Zeit war. Den zuerst genannten Effekt beobachte ich in Industrieunternehmen mit Einzelfertigung, den zweiten Effekt beobachte ich ganz allgemein in Industrieunternehmen und den dritten Effekt beobachte ich überwiegend in Dienstleistungsunternehmen.

42. Führt die Methode zu nachhaltigen Erfolgen? Wie lange dauert es bis dahin?

Die Idee, sich bei wiederkehrenden Handlungen kontinuierlich um noch mehr Erfolg zu bemühen, widerstrebt der allgemeinen Praxis und menschlichen Neigung, sich möglichst selten und wenn dann eher kurz mit möglichen oder offensichtlichen Problemen auseinanderzusetzen. Mit einem Programm kontinuierlicher Verbesserung ist jedoch nur derjenige erfolgreich, der sich nicht nur oberflächlich um seine Probleme kümmert, sondern Schritt für Schritt bis zur Behebung an deren Ursachen arbeitet. Die Nachhaltigkeit der Erfolge, die so erzielt werden, hängt folglich stark von den beteiligten Personen ab.

Nachhaltige Erfolge durch Motivation

Daher möchte ich mit der Antwort auf diese Frage pauschal auf die weiter oben geführten Diskussionen rund um das Thema Mitarbeitermotivation verweisen, von der Auswahl eines guten und hoch motivierten Verbesserungsteams über die Workshop-Gestaltung, die aktive Unterstützung durch das Management und die Einbindung des Betriebsrates bis hin zu der Auswahl eines unterstützenden und nicht gängelnden Kennzahlensystems.

Wie lange es dann bis zu stabilen Erfolgen dauert? Klare Antwort: Je nach Unternehmensgröße zweieinhalb bis vier Jahre (vgl. auch Frage 21).

43. Ist in der Methode vorgesehen, Audits durchzuführen?

Ja. Warum ich dies bislang noch nicht erwähnt habe? Nun, weil ich den Fokus ganz bewusst auf das Tun lenken möchte und nicht auf das Kontrollieren. Gleichwohl halte ich es für sinnvoll, mindestens in der Anfangsphase Audits durchzuführen und zwar in folgendem Rhythmus und mit folgendem Fokus:

Audits bei Level 1

Level 1: In jeder Abteilung einen Monat nach der Durchführung des ersten Level 1-Workshops der Abteilung; in kleinern Unternehmen (bis 300 Mitarbeiter) gerne auch an ein bis zwei Tagen als Abschluss der Einführung von Level 1. Fokus des Audits: Aussortieren überflüssiger Dinge, Ordnung am Arbeitsplatz und in der Arbeitsumgebung, gegebenenfalls schon erste Ansätze einer flussorientierten Gestaltung des Bereichs.

Audits bei Level 2

Level 2: In jeder Abteilung drei Monate nach der Durchführung des ersten Level 2-Workshops der Abteilung, damit zwischenzeitlich auch die Maßnahmen umgesetzt werden können, die während des Workshops noch nicht umgesetzt wurden; in kleinern Unternehmen (bis 300 Mitarbeiter) gerne auch an ein bis zwei Tagen als Abschluss der Einführung von Level 2. Im Rahmen dieses Audits werden auch die Leistungen von Level 1 nochmals mit abgefragt.

Bei einigen Unternehmen steht danach Vertrauen hoch im Kurs, andere haben sich dazu entschieden, jährlich ein Level 1-/ Level 2-Audit durchzuführen (vgl. dazu auch Frage 27: „Award" für die beste Abteilung mit kleinem Familientag). Bezüglich der Entscheidung, ob und wie ein L1/L2-Jahresaudit durchgeführt werden sollte, kommt es sehr auf die Unternehmenskultur und meiner Erfahrung nach auch auf den Kulturkreis an. Fokus des Audits: Standardisierung innerhalb der Abteilung.

Level 3: Vier Monate nach jedem Level 3-Workshop. Dabei sind grundsätzlich drei Varianten denkbar:

1. Ein Level 3-Check, wie ich ihn unter 4.2 „Level 3" beschrieben habe: Die Teilnehmer kommen nach zwei bis drei Monaten noch einmal zusammen und reflektieren unter Begleitung der Moderatoren die Auswirkung der zwischenzeitlich umgesetzten Maßnahmen: Ist der interne Kunde nun zufrieden oder hat sich nur wenig geändert?

2. Ein formelles Audit in Form einer Selbsteinschätzung, wie es im Rahmen der Beantwortung von Frage 45 beschrieben wird.

3. Ein formelles Audit, das auf einem systematischen Vorher-Nachher-Vergleich von Kennzahlen beruht. (Dies bietet sich meines Erachtens am ehesten im industriellen Serien- oder Massengeschäft an.)

Der Fokus des Audits sollte sein: Verbesserung des Flows an den Schnittstellen.

44. Wie wird ein solches Audit durchgeführt?

Der erste Schritt auf dem Weg zum Audit besteht darin, dem Verbesserungsbeauftragten sowie dem Leiter der Abteilung nach deren erstem Level 1- bzw. Level 2-Workshop einen Auditbogen zu übergeben. Basierend darauf wird dann entweder einen Monat (Level 1) oder drei Monate (Level 2) nach der Durchführung des Workshops geschaut, ob die im Rahmen dieses Workshops erzielten Verbesserungen dauerhaft umgesetzt bleiben bzw. ob die am Ende des Workshops noch ausstehenden Maßnahmen alle umgesetzt wurden und eine positive Wirkung zeigen. Der Verbesserungsbeauftragte der Abteilung bereitet die Abteilung auf das Audit vor; die Moderatoren, die den Workshop durchgeführt haben, führen das Audit dann durch – in einer freundschaftlichen Atmosphäre, denn es geht darum, zu motivieren und natürlich auch, in einer respektvollen Weise das Entwicklungspotenzial der Abteilung aufzuzeigen.

Dabei habe ich schon die schönsten Dinge erlebt. Beispielsweise hat ein Abteilungsleiter das Erreichen der vollen Punktzahl zum Anlass genommen, seine Mitarbeiter zum Essen einzuladen. Mehrfach wurde ich schon Zeuge, wie ein sehr gutes Ergebnis spontan mit Champagner (oder vielleicht war's auch nur Sekt) begossen wurde. Solche Dinge sind auch für den externen Berater schön zu beobachten.

Wenn Level 3-Audits bzw. Prozessaudits (im Sinne von „2." oder „3." aus Frage 43) durchgeführt werden sollen, müssen diese bereits während des Workshops vorbereitet werden. Nach der Gewichtung der zu bearbeitenden Themen (vgl. Kapitel 4.2) erstellen die Moderatoren eine Ist-Aufnahme für das spätere Prozessaudit – gemeinsam mit den Workshop-Teilnehmern, basierend auf deren Einschätzungen. Der Zeitaufwand dafür beträgt nach etwas Übung höchstens 20 Minuten. Bei einem zwei bis drei Monate nach dem Workshop stattfindenden erneuten Treffen der Teilnehmer wird das Prozessaudit dann abgeschlossen, indem der damaligen Ist-Einschätzung eine aktuelle Ist-Einschätzung gegenüber gestellt wird (Audit-Fragen: siehe Frage 45). Der Gesamtaufwand für das Audit liegt inklusive Dokumentation bei ungefähr eineinhalb Stunden. Der Nutzen dieser Prozessaudits liegt meiner Auffassung nach insbesondere darin, dass das Qualitätswesen auf ISO-Audits mit Prozessanalysen glänzen kann. In einigen Unternehmen wird diese Dienstleistung gerne für das Qualitätswesen erbracht, weil der Aufwand vertretbar erscheint. Dem Geschäftsprozess bringt dieses Audit nicht wirklich etwas. Einen Level 3-Check (im Sinne von „1." aus Frage 43) sehe ich hingegen als unabdingbaren Bestandteil jedes Level 3-Workshops, den ich erst dann als abgeschlossen betrachte, wenn alle umsetzbaren Maßnahmen aus dem Workshop auch wirklich umgesetzt sind.

45. Welche Fragen könnten bei Audits gestellt werden? Wie gestalte ich einen Auditbogen?

Auditfragen für Level 1 und Level 2

Fragen für Level 1- und Level 2-Audits

- Wurden alle Mitarbeiter in Level 1 geschult?

- Sind alle Arbeitsplätze sauber und aufgeräumt?

- Sind alle Möbel, PCs, Werkzeuge, und Hilfsmittel sinnvoll angeordnet?

- Ist die Arbeitsumgebung (Fußboden, Werkbänke, Werkzeugschränke bzw. Schränke, Küche, Fensterbänke usw.) in einem sauberen Zustand?

- Gibt es Patenschaften und Verantwortlichkeiten, z. B. für Räume, Küche, EDV-Geräte wie Drucker, Kopierer, Fax, für Schränke, Pflanzen, bestimmte Werkzeuge usw.? Sind diese Patenschaften inhaltlich dokumentiert und visualisiert?

- Wurden die Wege zu den gemeinsam genutzten Arbeitsmitteln optimiert?

- Haben gemeinsam genutzte Gegenstände ihren festen Platz?

- Ist Level 1 auch auf den PC-Laufwerken der Abteilung durchgeführt worden? Gibt es dafür eine Vorher-Nachher-Dokumentation?

- Sind die Ergebnisse des Workshops dokumentiert und visualisiert?

- Wurde vereinbart, dass künftig die verwertbaren der aussortierten Ordner und Büromöbel bzw. Werkzeuge und sonstigen Hilfsmittel wieder verwendet und erst bei weiterem Bedarf neue beschafft werden?

- Sind alle Mitarbeiter der Abteilung über die Neuregelungen informiert, die alle Mitarbeiter betreffen (z. B. durch eine Ankündigung in der Abteilungsbesprechung bzw. ein Schreiben des Abteilungsleiters oder des Verbesserungsbeauftragten)?

- Gibt es einen Ansprechpartner (Verbesserungsbeauftragten)?

- Gibt es eine Ideensammlung und einen Maßnahmenplan? Ist der Maßnahmenplan auf dem aktuellen Stand? Ist der Umsetzungsstand der Maßnahmen mühelos zu erkennen?

- Werden regelmäßig Besprechungen oder Workshops durchgeführt, deren Inhalt kontinuierliche Verbesserung ist? Werden diese Besprechungen protokolliert und für alle zugänglich abgelegt?

- Münden die Besprechungen regelmäßig in Maßnahmen, die umgesetzt werden?

- Falls in der Abteilung zwischenzeitlich neue Mitarbeiter beschäftigt wurden: Haben alle neu eingestellten Mitarbeiter eine Grundlagenschulung zum Thema Verbesserung erhalten?

- Unterstützt der Abteilungsleiter den Verbesserungsbeauftragten mit Blick auf das Einhalten und Verbessern von Level 1-Kriterien innerhalb der Abteilung?

- Unterstützt der Abteilungsleiter den Verbesserungsbeauftragten mit Blick auf das Schaffen von Standards bzw. das Weiterentwickeln bestehender Standards?

- Gibt es Standards für die Ablage jeglicher Daten (EDV/Papier)? Halten sich alle Mitarbeiter an diese Standards?

- Gibt es Standards für die Anordnung von Werkzeug und sonstigen Hilfsmitteln in der Produktion? Werden diese Standards von allen Mitarbeitern eingehalten?

- Gibt es Standards für das Aufbereiten von Informationen? Halten sich alle Mitarbeiter an diese Standards? (Formulare, Berichtsvorlagen etc.)

- Gibt es Standards für das Verteilen von Informationen (Besprechungen, Informationsfluss zwischen Vorgesetztem und Mitarbeitern, Informationsfluss zu anderen

Abteilungen / nach außen)? Halten sich alle Mitarbeiter an diese Standards?

- Gibt es Standards für den Transport und die Anlieferung von Material bzw. Zwischenprodukten? Halten sich alle Mitarbeiter an diese Standards?

- Wird die Datenmenge (EDV/Papier) konsequent so niedrig wie möglich gehalten? Ist dies dokumentiert?

- Wurde für alle in der Abteilung verwendeten Materialien (Bürobedarf, Rohmaterial, teilfertige Erzeugnisse) ein sinnvoller Mindestbestand festgelegt, der den Arbeitsfluss sicherstellt und gleichzeitig den Bestand / die Kapitalbindung so niedrig wie möglich hält? Ist dieser Mindestbestand eindeutig gekennzeichnet, zum Beispiel durch eine Karte, die an passender Stelle angebracht bzw. über dem Mindestbestand eingefügt ist, die von jedem Mitarbeiter, der Material entnimmt, beim Erreichen des Mindestbestands gesehen werden muss und auf der der Mindestbestand und die nachzubestellende Menge vermerkt sind?

- Gibt es Standards für Umrüstvorgänge? Werden diese Standards von allen betroffenen Mitarbeitern eingehalten?

- Gibt es Standards für sonstige Arbeitsabläufe? Halten sich alle Mitarbeiter an diese Standards?

- Sind alle Standards der Abteilung aufgelistet und für jeden zugänglich?

- Gibt es für alle Mitarbeiter der Abteilung eine festgelegte Stellvertreterregelung bzw. für alle Tätigkeiten eine standardisierte Übergabe bei geplanter Abwesenheit?

- Gibt es in der Abteilung Personalentwicklungs- und Qualifizierungspläne?

Die Auditbögen, die ich selbst für Level 1- und Level 2-Audits verwende, bestehen aus jeweils zehn Fragen, die mit jeweils bis zu vier Punkten bewertet werden können. Auf dem Auditbogen ist vorgesehen, dass eine Abteilung, die bei einem Audit weniger als 30 Punkte erzielt, nach einem angemessenen Zeitraum ein weiteres Mal auditiert wird. Jeder Auditbogen ist nicht nur von dem zuständigen Abteilungsleiter, sondern auch von der Unternehmensleitung zu unterschrieben.

Auditfragen für Level 3

Fragen für Level 3-Audits

1. *Durchlaufzeit* (Gewicht: 30 Prozent)

Wie beurteilen Sie den Prozess unter Berücksichtigung von:

- Engpässen,
- Schnittstellen,
- Such-, Warte- und Liegezeiten?

2. *Qualität* (Gewicht: 30 Prozent)

Wie beurteilen Sie den Prozess hinsichtlich:

- Kundenorientierung,
- Standardisierung,
- Fehleranfälligkeit,
- Datenqualität?

3. *Termintreue* (Gewicht: 30 Prozent)

Wie beurteilen Sie die Termintreue der Prozessschritte und des Gesamtprozesses für die internen und externen Kunden hinsichtlich:

- Beschaffung von Informationen / Material,
- Fertigung der Baugruppen / Produkte?

4. *Dokumentation* (Gewicht: 10 Prozent)

Ist der Prozess ausreichend beschrieben, verständlich und bekannt durch zum Beispiel:

- Prozessbeschreibungen,
- Anweisungen,
- Stücklisten,
- Zeichnungen,
- Schulungsunterlagen?

Bewertung

Die Teilnehmer des jeweiligen Workshops bewerten die vier genannten Kriterien auf einer Skala von 1 bis 10:

1-5   Der Prozess weist Mängel auf; Wiederhol-Workshop und späteres Wiederhol-Audit nötig.
6-8   Der Prozess ist zufrieden stellend.
9-10 Der Prozess ist sehr gut. Es sind keine weiteren Maßnahmen erforderlich.

Im Sinne von „Frage 43, Level 3, Nr. 2" bewerten die Teilnehmer den Prozess zunächst während des Workshops und dann ein zweites Mal, nachdem die im Workshop gefundenen Maßnahmen umgesetzt wurden. Die Differenz der Bewertungen zeigt, wie stark der Prozess verbessert werden konnte.

46. Eignet sich diese Methode, um die Qualität zu verbessern?

Sicher. Dabei ist jedoch ergänzend die Frage zu stellen, wie weit reichend ich Qualität definiere. Meine ich damit nur die Beschaffenheit und Zuverlässigkeit der von mir hergestellten Produkte?

Verbesserung der Produkt- und Datenqualität

Oder geht es auch um die Qualität der vom internen Lieferanten zum internen Kunden gereichten Informationen, damit das Produkt letztlich gefertigt, montiert und termingerecht ausgeliefert oder beispielsweise eine Finanzberatung passend erbracht werden kann?

Meiner Erfahrung nach kann mit dieser Vorgehensweise sowohl die Produkt- als auch die Datenqualität signifikant verbessert werden. Der Schwerpunkt liegt meiner Erfahrung nach beim Thema „Datenqualität", die in vielen Fällen eine Grundlage für Produktqualität ist.

47. Befürworten Sie den Einsatz mehrerer Methoden im selben Unternehmen?

Orientierung für Mitarbeiter ist wichtig

Wie heißt es so schön: Viele Köche verderben den Brei. Zu oft sehe ich leider, dass es in einem Unternehmen zwar einen bunten Strauß an Methoden gibt – jedoch keine Orientierung für den Mitarbeiter. Da gibt es das betriebliche Vorschlagswesen, Six-Sigma, KVP, und – wenn man modern ist – auch die vermeintlich fruchtbare Synthese aus beidem: Lean-Sigma. Mit Business-Process-Reengineering, einer Gemeinkostenwertanalyse und Zero-Base-Budgeting hat man freilich auch schon Erfahrungen gesammelt. Ein Kosteneinsparprogramm? „Ja, das haben wir auch. Und demnächst machen wir unser erstes Wertstrom-Design!"

Letztlich hat dies meiner Erfahrung nach nur zur Konsequenz, dass vieles getan wird und getan wurde, aber nichts davon richtig.

Nein. Ein völliger Gegner des parallelen Einsatzes verschiedener Methoden bin ich nicht. Aber mit Bedacht sollte ausgewählt werden, welche Methoden zum Einsatz kommen. Six-Sigma ist eine klasse Methode – jedoch nur für komplizierte Probleme mit einer tendenziell hohen Wiederholhäufigkeit. Bei überschaubaren Problemen lohnt sich der Aufwand von in der Regel über 100 Arbeitstagen für ein Projekt nicht. Auch das betriebliche Vorschlagswesen hat seinen Reiz, meiner Auffassung nach jedoch nur für Projekte, die für ein Programm kontinuierlicher Verbesserung zu groß sind und die dem Unternehmen sonst verloren gehen würden. Die systematische Behebung von Engpässen ist mit einem betrieblichen Vorschlagswesen tendenziell nicht zu erreichen. Dies ist es jedoch, was ein Unternehmen am deutlichsten und nachhaltigsten voran bringt. Entsprechend sollte darauf der Fokus der Verbesserungsbemühungen liegen.

Fokus auf KVP

Gerade bezüglich des betrieblichen Vorschlagswesens werde ich aus unterschiedlichsten Gründen oft gefragt, wie man dieses mit der hier dargestellten Methode verbinden kann. In meiner Zeit als Change-Manager in der Konzerngesellschaft eines deutschen Großkonzerns habe ich für zwei unserer Standorte einmal die folgende Grenze ziehen können: Betriebliches Vorschlagswesen für technische Verbesserungen, das hier dargestellte Programm für Prozessverbesserungen. Die Anhänger des Vorschlagswesens waren zufrieden und wir hatten die Grundlagen dafür gelegt, dass die Mitarbeiter wertvolle Ideen zur Prozessverbesserung nicht zurückhalten, um den „Ruhm" für die Idee im Rahmen des Vorschlagswesens als Einzelperson einzustreichen.

48. Wie finde ich passende Benchmark-Partner?

In jeder Branche gibt es gute Unternehmen

Schauen Sie sich in Ihrer Branche um. In jeder Branche gibt es gute Unternehmen, die über ein KVP-Programm verfügen. Wenn Sie sich bis Level 3 entwickelt haben, laden Sie das KVP-Team eines anderen Unternehmens ein. Man wird Ihnen einen Gegenbesuch anbieten. Vergleichen Sie sich. Entwickeln Sie sich.

Und dies muss sich nicht auf die eigene Branche beschränken. Mit Blick auf den möglichen Verlust von Wettbewerbsvorteilen ist es manchmal sogar ratsam, vorzugsweise in anderen Branchen anzuklopfen. Als Leiter eines solchen Verbesserungsprogramms in zwei Maschinenbauunternehmen habe ich die verschiedensten Benchmark-Partner gehabt, vom Maschinenbauer über einen Hersteller von Dichtungen, einen Hörgeräte- und einen Leuchtenhersteller bis hin zu einer sehr innovativen Stadtverwaltung. Man lernt überall etwas dazu.

49. Wer sollte an Benchmark-Projekten teilnehmen?

Jeder, der mit ein wenig Transferleistung Gesehenes in den eigenen Verbesserungsprozess integrieren könnte. Im Klartext: der Change-Manager, die Moderatoren und die Abteilungsbeauftragten.

50. Grundsatzfrage in der Produktion: Lagerhaltung oder Umrüsten?

Einleitend zu der sehr umfangreichen Antwort auf diese Frage möchte ich gerne provozieren, denn spontan fällt mir hier ein Satz ein, den ich zur Verdeutlichung des zu diskutierenden Problems einmal auf einer Schulung für Führungskräfte geäußert habe und der in diesem Unternehmen – im positivsten Sinne – immer wieder zitiert wird: „Das Lager ist der natürliche Feind jedes funktionierenden Prozesses".

Große Lose oder häufiges Umrüsten?

Im Grundsatz ist dies auch meine Einstellung, jedoch möchte ich sie nicht unreflektiert stehen lassen, sondern vielmehr herleiten. Die zentrale Frage ist dabei stets: Sollten in der Produktion möglichst große Lose gefertigt werden, so dass das einzelne Teil möglichst kostengünstig hergestellt werden kann, so dass am Ende aber auch mehr Teile in Zwischenlagern ruhen? Oder sollten die Produktionsmaschinen häufiger umgerüstet werden, was den entsprechenden Aufwand in die Höhe treibt?

Beginnen wir unsere Gedanken zunächst ganz klassisch: Je mehr Teile in einem Los produziert werden, desto weniger kostet die Produktion des einzelnen Teils im Durchschnitt. Dies leuchtet ein, und die Mitarbeiter in der Produktion legen los.

Umrüsten oder Bevorraten, Teil 1

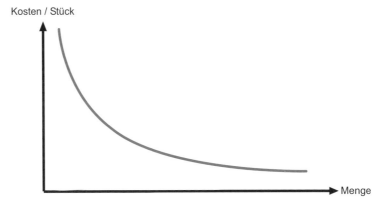

Irgendwann bekommen sie jedoch Besuch von den Lageristen, die ihnen mitteilen, dass die Bestandskosten gestiegen seien, weil immer mehr Teile in Lagern liegen, die im Moment weder intern noch extern nachgefragt werden. Die Produktionsmitarbeiter entgegnen, dass sie keine Möglichkeit sehen, dies zu ändern, weil sie ihrerseits die Kosten hochtreiben würden, wenn sie häufiger umrüsten würden. Die beiden Gruppen kommen in ein freundschaftlich geführtes Streitgespräch, das in vielen Unternehmen nunmehr Jahrzehnte andauert und vermeintlich nicht eindeutig zu Ende geführt werden kann.

Fokus auf Gewinnerhöhung, nicht auf Kostensenkung

Um die Streitfrage zu beantworten, muss die Perspektive geändert werden. Das Ziel eines Unternehmens besteht darin, Geld zu verdienen. In Kapitel 3 wurde herausgearbeitet, dass viele Unternehmer den Fehler begehen, den Fokus auf die Einsparung von Kosten zu legen anstatt auf die Erhöhung des Durchsatzes. Genau dieses Problem begegnet uns hier erneut. Um den Streit zwischen den Lageristen und den Mitarbeitern der Produktion aufzulösen, muss folglich die Perspektive geändert werden: Statt zu fragen, wie Kosten gesenkt werden können, muss gefragt werden, wie der Gewinn erhöht werden kann. Vergegenwärtigen wir uns daher die folgende Grafik Schritt für Schritt:

Umrüsten oder Bevorraten, Teil 2

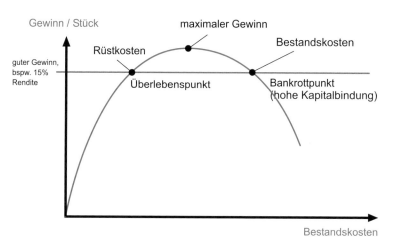

Wenn wir Produkte herstellen und diese verkaufen, fangen wir an Geld zu verdienen. Also produzieren wir fleißig weiter. Dabei kommen wir irgendwann an einen Punkt, an dem wir unseren Gewinn maximiert haben. Dieser Punkt ist theoretisch bestimmbar, in der Praxis jedoch nicht wirklich von Bedeutung, weil die Organisation / das Unternehmen „lebt" und der Punkt sich damit nahezu täglich irgendwie verschiebt. Wichtig ist hingegen, dass bei steigender Produktion die Rendite nach dem Erreichen dieses Punktes wieder anfängt zu sinken – die Bestandskosten beginnen, stetig mehr von der Rendite aufzufressen, denn in der guten Absicht, den jeweiligen internen Kunden möglichst schnell und umfänglich bedienen zu wollen, häuft jeder Bereich Bestände an, und dies, ohne wirklich zu wissen, wann der interne Kunde was benötigt. Durch die gestiegenen Bestände ruht das Material insgesamt mehr als dass es fließt. In einzelnen Unternehmen habe ich es schon gesehen, dass dies soweit geht, dass trotz voller Auftragsbücher und eigentlich guter einzelner Bearbeitungsprozesse rote Zahlen geschrieben werden, weil die Bestandskosten das gesamte Renditepotenzial wieder auffressen. Bestände in den Büros lähmen diese Unternehmen darüber hinaus bis nahe an den Stillstand. In der Folge müssen wegen unpünktlicher Lieferung nicht selten empfindliche Vertragsstrafen bezahlt werden.

Wie kann ein solches Unternehmen nun reagieren? Die Uneinsichtigen unter den Produktionern und Einkäufern kommen zu dem Schluss, dass sie nur noch mehr produzieren beziehungsweise einkaufen müssten, dann würden die Kosten über Mengeneffekte schon irgendwann weit genug sinken. Die Einsichtigen verstehen an dieser Stelle, dass Bestände nun einmal Kosten verursachen und jeder Versuch, durch größere Mengen Kosten zu senken, nur zu noch mehr Kosten führt.

Um uns der Lösung anzunähern, werfen wir einen Blick auf den Gewinn: Jedes Unternehmen wünscht sich eine gute Umsatzrendite. Guten Unternehmern ist dabei nicht wichtig, diese kurzfristig zu maximieren, sondern mittelfristig stabil auf ein hohes Niveau zu bringen. Sprechen wir hier einmal von 15 Prozent EBIT. Nach meiner Auffassung ist dies ein gutes Niveau – sicher noch steigerbar, aber dennoch von den wenigsten Unternehmen in Deutschland dauerhaft erreicht. Die Linie von 15 Prozent Umsatzrendite schneidet unsere Gewinnkurve an zwei Stellen. An der einen Stelle sind die Bestandskosten der Kosten treibende Faktor, an der anderen Stelle sind es die Rüstkosten. Der Effekt beim Bestandskostenpunkt wurde in den beiden vorigen Absätzen schon beschrieben. Daher wird dieser Punkt auch „Bankrottpunkt" genannt; die Kapitalbindung ist einfach zu hoch.

Die Lösung hingegen liegt im so genannten „Überlebenspunkt". Mit gezielt eingesetzten Verbesserungsaktivitäten, die das Thema „Umrüsten von Produktionsmaschinen" fokussieren, werden schrittweise erhebliche Verbesserungen des gesamten Produktionsprozesses erreicht. Konsequenterweise widmet man sich dabei wieder nur den Engpässen und verbessert nicht „wild in der Gegend herum".

Vermeintlich steigen durch das nun häufigere Umrüsten von Maschinen die Kosten – dies war ja der Ausgangspunkt der Diskussion zwischen den Lageristen und den Mitarbeitern der Produktion. Interessant ist daher an dieser Stelle die Frage, ob durch vermehrtes Rüsten denn tatsächlich höhere Kosten entstehen? Jeder Controller oder Fertigungscontroller wird sogleich eine Unterlage zur Hand haben, aus der sich Kosten für Rüstvorgänge ableiten lassen. Lassen Sie uns jedoch einmal ein paar Schritte zurücktreten und die Veränderung der Abläufe neutral betrachten. Wurde für das häufigere Rüsten zusätzliches Personal eingestellt? Nein? Wo ist denn dann ein tatsächlicher Kostenzuwachs entstanden?

Wenn wir die vorhandenen Arbeitskräfte durch Verbesserungen der Arbeitsabläufe lediglich besser einsetzen, geben wir faktisch keinen einzigen Cent mehr aus. Die vermeintliche Kostensteigerung findet nur auf dem Papier statt. Bei der Erhöhung der Rüstkosten handelt es sich nicht um eine pagatorische, sondern nur um eine kalkulatorische Kostenerhöhung. Folglich führt die konsequente Verfolgung der Perspektive der Lageristen, keine Bestände aufzubauen, zum Erfolg – und dies nicht nur in den Produktionsbereichen.

Für das gesamte Unternehmen liegt die Lösung in einer Verringerung jeglicher Bestände sowie einer gleichzeitigen Verbesserung des Informations- und Materialflusses. Um Bestände in Durchsatz und damit in Umsatz und schließlich in Gewinn zu verwandeln, ist es wichtig, für alle Teile und Informationen den richtigen individuellen Takt zu finden und diesen zwischen allen Beteiligten verbindlich zu vereinbaren. Wenn sich nur ein Mitarbeiter im Gesamtprozess nicht an seine Terminzusagen hält, gerät unter Umständen das gesamte Gefüge ins Wanken – unabhängig davon, ob es dabei um Material oder Informationen geht.

Für die Produktion ist methodisch festzuhalten, dass das Umrüsten von Engpassmaschinen ein wichtiger Schlüssel zu einem
funktionierenden Materialfluss ist. Bleibt die Frage zu beantworten, wie ein solcher Rüstworkshop durchzuführen ist.

51. Wie führt man einen Rüstworkshop durch?

*Internes Rüsten
minimieren*

Sprechen wir erst einmal über Ziele und Inhalte eines Rüstworkshops: Primär geht es um das Wandeln so genannter interner
Rüstzeiten in externe Rüstzeiten. Von internen Rüstzeiten wird
gesprochen, wenn die Maschine umgerüstet wird, während sie
stillsteht. Mit externem Rüsten wird der Rüstvorgang so weit
vorbereitet, dass der faktische Umrüstvorgang (bearbeitetes
Werkstück ausspannen, zu bearbeitendes Werkstück einspan-
nen, Maschine in Betrieb nehmen) möglichst wenig Zeit in
Anspruch nimmt.

Bei einer Ist-Aufnahme ist jedoch oft Erstaunliches zu beobachten. Beispielsweise fängt ein Maschinenbediener an, nachdem er
sein gerade bearbeitetes Werkstück ausgespannt hat, Werkzeug
oder sonstige Hilfsmittel zu suchen, die er für das Aufspannen
des nächsten Werkstücks benötigt – und dies nicht unbedingt
in der unmittelbaren Umgebung seines Arbeitsplatzes. Handelt
es sich bei diesem Arbeitsplatz tatsächlich um den Engpass des
gesamten Geschäftsprozesses, ist jede Minute, die dieser Mitarbeiter mit Suchen verbringt, während seine Maschine stillsteht,
eine verlorene Minute für den gesamten Geschäftsprozess. In
Rüstworkshops, die ich bislang begleitet habe, war es keine Sel-
tenheit, dass mit der Analyse und entsprechenden Verbesserung
des Rüstvorgangs mehr als 50 Prozent der für das Rüsten aufgewendeten Zeit eingespart werden konnte. Es lohnt sich also,
zu schauen, wie die Stillstandszeiten an Engpässen minimiert
werden können. Und dies läuft folgendermaßen ab:

Vorbereitung

Vorbereitung

- Gegenseitiges Informieren/Abstimmen der Moderato-
  ren
- Vorgespräch mit Produktionsleiter
  - Auswahl der Maschine

- Auswahl der Schicht
- Auswahl der Teilnehmer
- Agenda an Teilnehmer verteilen
- Unternehmensleitung, Lenkungsausschuss, betroffene Vorgesetzte, Personalleitung und Betriebsrat zur Abschlusspräsentation (Ende des Workshops) einladen
- Einführungsvortrag als Power-Point-Datei zur Verfügung haben
- Individuelles Vorbereiten auf Einführungsvortrag
- Raum für Einführungsveranstaltung und spätere Prozessanalyse reservieren und passend herrichten:
  - Laptop und Beamer
  - Leinwand
  - Stühle (Wie viele Mitarbeiter nehmen teil?)
  - Flipchart und Stifte für Skizzen und Visualisierung
  - Metaplanwände und Post-it-Kleber für Prozess-Mapping
- Rüstformblatt in ausreichender Menge zur Verfügung haben

Durchführung

- Kurze Einführung in das Thema
- Einteilung des Teams / Rollenzuordnung:
  - Ein Teilnehmer rüstet die Maschine um (Rüster)
  - Ein Teilnehmer notiert alle Informationen zum Rüstvorgang auf dem Rüstformblatt (Schreiber)
  - Ein Teilnehmer nennt dem Schreiber jede Handlung des Rüsters
  - Ein Teilnehmer stoppt die Zeit jedes einzelnen Vorgangs und nennt diese dem Schreiber
  - Ein Teilnehmer stoppt die nach jedem Vorgang bis dahin vergangene Gesamtzeit und nennt diese dem Schreiber
  - Zwei Teilnehmer beobachten ganz allgemein und nennen dem Schreiber Verbesserungspotentiale der einzelnen Verrichtungen des Rüsters
- Analyse / Begleitung eines Rüstvorgangs mittels Rüstformblatt:
  - Notieren der Tätigkeiten (Suchen, Schrauben, …)
  - Notieren der dafür benötigten Zeit

- Notieren der jeweils bis zu diesem Zeitpunkt vergangenen Gesamtzeit
- Notieren offensichtlicher Verbesserungspotenziale
- Darstellung des gesamten Rüstvorgangs mittels eines Prozess-Mappings
- Verbesserungspotenziale identifizieren, insbesondere nach folgenden Kriterien:
  - Vereinfachung von Tätigkeiten
  - Zusammenlegung von Tätigkeiten, insbesondere während des Betriebs der Maschine
  - Eliminieren unnötiger Tätigkeiten
  - Örtliches Umstellen von Hilfsmitteln
  - Reduzierung der Maschinenausfälle durch Optimierung der Wartung
  - Verbesserungspotenziale nach Aufwand und Nutzen gewichten und Maßnahmen beschließen
- Maßnahmen direkt umsetzen und Ablauf verändern
- Durchführen des Rüstvorgangs mit geändertem Ablauf
- Vorher-Nachher-Vergleich in die Abschlusspräsentation einbauen
- Abschlusspräsentation
  - Präsentation des Prozess-Mappings
  - Präsentation der gefundenen und umgesetzten Verbesserungspotenziale
  - Vorher-Nachher-Vergleich der benötigten Zeit
  - Abschließende motivierende Worte von Change-Manager und Vorsitzendem der Unternehmensleitung

Wo Rüstworkshops im hier dargestellten Konzept einzugliedern sind? Wie unter Kapitel 4.2 schon erwähnt, gehört das Thema Rüsten aus meiner Sicht zu Level 2, denn beim Umrüsten von Maschinen geht es um spezifische Ablaufstandards innerhalb einer Abteilung. Konzeptionell wirft dies jedoch immer wieder Fragen auf, denn einerseits betrifft der Workshop nur einen Arbeitsplatz, sozusagen „Mini-Level 1". Andererseits werden methodische und visualisierungstechnische Anleihen bei Level 3 gemacht. Weil das Thema Rüsten etwas exponiert ist, rufen manche Unternehmen Rüstteams ins Leben, mit Moderatoren, die dann auf dieses Thema spezialisiert sind.

Abschließend zum Thema Rüsten möchte ich anmerken, dass
dies nur vermeintlich ein reines Produktionsthema ist. In Bürobereichen geht es analog darum, die Informationssuche bzw. das
Zusammentragen von Informationen zu optimieren. Das Ziel ist
dort, die Zuarbeit zu Entscheidungsprozessen oder zur Informationsverarbeitung zu optimieren, indem die Informationen
für Entscheidungen oder für die Weiterverarbeitung passend
zusammengetragen werden. Voilà: Rüsten im Büro. Die entsprechenden Workshops sind je nach Thema Level 2- oder Level 3-
Workshops.

52. Wo kommt die Methode überhaupt her? Und wo lässt sie sich einsetzen?

Die Methode basiert auf dem von Klaus Bieber entwickelten
Level-Modell für Büro-Kaizen. In Gemeinschaftsarbeit mit Beteiligten aus den zwei Unternehmen, für die ich vor meiner Berater-
Tätigkeit als interner Change-Manager ein solches Programm
aufgebaut und geleitet habe, und meinem mittlerweile guten
Freund und Berater-Kollegen Herrn Bieber habe ich dieses Modell so angepasst und ergänzt, dass es in allen Büro- und Produktionsbereichen als Instrument zur Verbesserung des gesamten
Wertstroms einsetzbar ist. Mittlerweile ist das Modell mit Erfolg
in zahlreichen Unternehmen im Einsatz – in Industrieunternehmen mit Einzelfertigung, in solchen mit Serienfertigung und in
verschiedenen Dienstleistungsunternehmen. Überall dort, wo
Menschen sich in einem Arbeitsprozess abstimmen müssen,
macht es meiner Erfahrung nach Sinn, über den Einsatz dieser
Methode nachzudenken.

Branchenübergreifend einsetzbar

53. Was ist Ihrer Meinung nach der wichtigste Erfolgsfaktor?

Oft werde ich gefragt, was denn DER Erfolgsfaktor sei? Wie
ich eingangs zu diesem Buch schon gesagt habe, gibt es DEN
Erfolgsfaktor aus meiner Sicht nicht. Sehr wohl gibt es jedoch
eine Reihe von Faktoren, die einen unmittelbaren Einfluss auf
den Erfolg des Programms haben. Meiner Erfahrung nach unter-

scheiden sich die erfolgreichen Verbesserungsprozesse von den weniger erfolgreichen insbesondere durch diese Faktoren:

- Konsequenz,
- Kundenorientierung,
- Vertrauen,
- Wertschätzung und
- das passende Personal an den Schaltstellen. Letzteres betrifft Rollen im Rahmen des Verbesserungsprogramms ebenso wie alle Führungskräfte des Unternehmens.

Konsequenz

Konsequenz: Niemanden wird es verwundern, wenn ich sage, dass Maßnahmen zur Verbesserung von Abläufen nicht nur eifrig formuliert, sondern, um zum Erfolg des Unternehmens beizutragen, auch umgesetzt werden müssen. Doch genau daran scheitert es zuweilen, vermeintlich aus einem Mangel an Zeit. Pauschal möchte ich daher nochmals auf die in der Antwort zu Frage 3 erzählte Geschichte vom Zaunreparieren und Hühnerfangen verweisen. Sie veranschaulicht gut, wie man mit dem Thema „Zeitmangel" umgehen sollte. Und wenn nicht nur pauschal ein Mangel an Zeit vorgeschoben wird, sondern sogar offenkundig Desinteresse am Thema Veränderung vorherrscht oder Veränderung gar blockiert wird, ist vielleicht sogar darüber nachzudenken, ob die Stelle des entsprechenden Linienverantwortlichen richtig besetzt ist.

Kundenorientierung

Kundenorientierung: Dies ist ein Punkt, der so selbstverständlich zu sein scheint, dass man ihn fast nicht erwähnen müsste – schließlich dient das gesamte Thema Verbesserung der verbesserten Zuarbeit zum (internen und externen) Kunden. Ich führe die Kundenorientierung hier trotzdem an, weil sie meiner Erfahrung nach keineswegs selbstverständlich ist, denn in einigen Unternehmen musste ich leider feststellen, dass dort mehr dem Controlling als dem Kunden gedient wurde. Mit kritischem, aber keineswegs ablehnendem Blick auf das Thema Kennzahlen möchte ich daher noch einmal pauschal auf die Beantwortung von Frage 41 hinweisen.

Vertrauen

Vertrauen: Auf den Punkt Vertrauen möchte ich hier nochmals etwas ausführlicher eingehen. Gemeint ist sowohl das Vertrauen der Belegschaft, dass aufgrund der Umsetzung des Verbesserungsprogramms niemand seinen Arbeitsplatz verliert, als auch das Vertrauen seitens der Unternehmensleitung in die Erfolgsaussichten einer Vorgehensweise, mit der sich der Erfolg nicht kurzfristig, sondern erst mittel- bis langfristig einstellt und bei der es für sehr viele der durchaus sehr kleinen Schritte keinen Sinn macht, deren Beitrag zum Erfolg des Unternehmens zu messen.

Liegt dieses Vertrauen vor, wird es der Unternehmensleitung gelingen, die Mehrheit der Mitarbeiter für ein aktives Mitmachen zu gewinnen. Und dies ist wichtig, denn erfahrungsgemäß fürchten am Anfang nicht nur Sachbearbeiter und Produktionsmitarbeiter eventuelle Rationalisierungseffekte. Führungskräfte der mittleren Ebene fürchten, bei Veränderungsprozessen an Einfluss zu verlieren und reagieren mit einem Verhalten, das der Absicherung des eigenen Territoriums dient – kontraproduktiv für das Vorantreiben kontinuierlicher Verbesserung. Hier gilt es von Beginn an offen und verbindlich gegenzusteuern und so die Belegschaft dazu zu motivieren, ihr gesamtes Wissen und ihre Erfahrungen einzubringen.

Wertschätzung

Wertschätzung: In der Antwort zu Frage 25 ist schon dargestellt worden, wie Führungskräfte, insbesondere die Geschäftsführer bzw. Vorstände, dazu beitragen können, die Motivation der Prozessbegleiter und der Belegschaft hoch zu halten. Ergänzend möchte ich an dieser Stelle gerne erwähnen, dass der Umgangston im Zusammenhang mit Verbesserungsideen einen erheblichen Einfluss auf den Erfolg des Verbesserungsprogramms hat. Stellt man beispielsweise als Führungskraft auf einer Abschlussdiskussion eines Level 3-Workshops fest, dass Lösungen für bestimmte Probleme völlig anders ausfallen, als man dies erwartet hat, dann kann man seiner Enttäuschung über diese Lösungen natürlich freien Lauf lassen, indem man den Workshop Teilnehmern mit kritischen oder gar geringschätzenden Äußerungen begegnet. Man könnte seine Stellungnahme aber auch mit Wertschätzung für die geleistete Arbeit einleiten, freundlich erwähnen, dass man selbst den Lösungsansatz schwerpunktmäßig in einem anderen Aspekt gesehen hätte und entsprechend nachfragen, ob dieser Aspekt denn in der Diskussion aufgetaucht sei. Wenn ja, kommt es an dieser Stelle des Gesprächs sicherlich zu einer fruchtbaren Diskussion, denn die Teilnehmer sind ja schließlich vom Fach und haben sich erst nach eingehender Diskussion dazu entschlossen, den entsprechenden Aspekt nicht weiter zu verfolgen. Wenn nein, bietet sich eine ebensolche Diskussion an, mit der Möglichkeit, dass der von den Teilnehmern erarbeitete Lösungsansatz ergänzt wird – in gegenseitigem Respekt, mit Wertschätzung für die geleistete Arbeit. Äußerungen wie „Das ist schon etwas dünn, was Sie hier bieten" oder Ähnliches können hingegen durchaus bewirken, dass Mitarbeiter künftig schwer für die Teilnahme an Workshops zu gewinnen sind. Der Ton macht eben die Musik – auch hier. Dabei hilft es sicher, sich als Führungskraft grundsätzlich vor Augen zu halten, was Führen mit Blick auf die Geführten bedeutet, nämlich: „Andere zum Erfolg führen".

Führen bedeutet: Andere zum Erfolg führen

Je länger das Verbesserungsprogramm läuft, desto wichtiger wird Wertschätzung

In diesem Zusammenhang möchte ich auch erwähnen, dass das Thema „Wertschätzung" eine ganz besondere Bedeutung erhält, wenn sich das Unternehmen bereits über mehrere Jahre hinweg kontinuierlich verbessert hat. Nach mehreren Jahren kontinuierlicher Verbesserung ist das hausinterne Verbesserungspotenzial in der Regel recht weit ausgeschöpft. Die Maßnahmen und ihr Beitrag zum Unternehmenserfolg werden immer kleiner, die Anstrengungen aber, die unternommen werden müssen, um das verbliebene Potenzial zu heben, sind gleich geblieben, oder sogar gestiegen. Hinzu kommt, dass sich schrittweise die Perspektive ändern muss. Nun heißt es nicht mehr nur „Wir müssen stetig besser werden", sondern immer häufiger auch „Wir müssen etwas tun, um nicht zurückzufallen" bzw. „Wir müssen erschaffene Standards an veränderte Rahmenbedingungen (geänderte Marktbedingungen, veränderte Kundenwünsche, andere Lieferantenbeziehungen etc.) anpassen". In diesem Stadium des Verbesserungsprogramms angekommen sind Vorgesetzte und Unternehmensleiter besonders gefordert, denn die Mitarbeiter sind unter Umständen nicht mehr so motiviert wie am Anfang, weil bei derselben Anstrengung, Verbesserungen zu erzielen, die Resultate kleiner ausfallen und möglicherweise sogar nur dazu dienen, mittels der erneuten Bearbeitung eines Themas ein Niveau wieder zu erreichen, dass vor einer Veränderung bestimmter Rahmenbedingungen bereits erreicht war. Wenn Vorgesetzte angesichts der nun kleineren Wirkung der Verbesserungsaktivitäten die Ergebnisse kritisieren oder diese mit Ergebnissen vergleichen, die erzielt wurden, als das Verbesserungspotenzial noch deutlich größer war, dann ist die Motivation der Mitarbeiter schnell dahin. Dies vor Augen heißt das Motto nach mehreren Jahren kontinuierlicher und erfolgreicher Verbesserung: Wertschätzung für die ausdauernde Bemühung, sich stetig weiter zu verbessern – und sei die Verbesserung noch so geringfügig.

Passende Stellenbesetzungen

Passende Stellenbesetzungen: Sozusagen nahtlos an das Thema Wertschätzung anknüpfend ist der fünfte Erfolgsfaktor zu nennen, nämlich Schaltstellen im Unternehmen mit dem passenden Personal besetzt zu haben. Dies betrifft natürlich alle Führungskräfte des Unternehmens, aber eben auch die Besetzung von Rollen im Rahmen des Verbesserungsprogramms. Der Koordinator und die Moderatoren sollten in der Lage sein, in Diskussionen Spannungen aufzunehmen und zu kanalisieren sowie Diskussionen zu einem möglichst allseits akzeptierten Ergebnis zu führen. Beim Koordinator betrifft dies seine „programmpolitische" Tätigkeit im Kreise seiner Management-Kollegen; er sollte bei Unstimmigkeiten Klärung herbeiführen können. Bei den Moderatoren betrifft dies die Diskussionen, die im Rahmen von Workshops stattfinden.

Erfolg und Werte

Erfolg und Werte – Der Zusammenhang

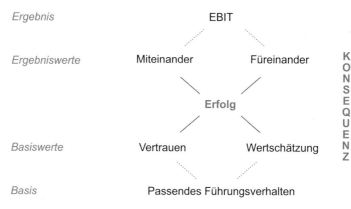

54. Was halten Sie für die beste Unternehmensstruktur?

Diese Frage ist nicht ganz leicht zu beantworten. Sicher, die Struktur des Unternehmens hat einen Einfluss auf die Art, wie im Unternehmen gehandelt wird, von der Informationssuche über die Art, wie Entscheidungen gefunden werden, bis hin zur Abarbeitung von Aufträgen.

Autonome Bereiche

Im Einklang mit der Philosophie des hier dargestellten Verbesserungsprogramms, dem durchgängigen Konzept von möglichst viel Eigenverantwortung auf allen Ebenen, neige ich dazu, pauschal zu sagen, dass ein Unternehmen so aufgebaut sein sollte, dass jede Funktion möglichst autonom arbeiten kann, das heißt, ohne Leistungen anderer Funktionen/Abteilungen in Anspruch zu nehmen. Dazu hilft es, das Unternehmen in selbstständige, überschaubare Einheiten zu gliedern. Im Büro sprechen wir hier über strategische Geschäftseinheiten, die produktbezogen gebildet werden und hinsichtlich ihrer Funktionen jeweils voll ausgestattet sind – in einem von Technik geprägten Markt beispielsweise mit technischem und kaufmännischem Vertrieb, Konstruktion und Projekt-Management. Lediglich interne Dienstleister sind zentral angeordnet, wie Personal, Kommunikation, Rechnungswesen und Controlling, gegebenenfalls auch die Grundlagenentwicklung, der Einkauf und das Qualitätswesen. Trotz des Fokus' auf möglichst schlanke Strukturen sollte jeder Standort hinsichtlich der internen Dienstleister in der Lage sein, weitgehend selbstständig zu agieren, um insgesamt möglichst kurze Entscheidungswege zu haben.

Unternehmen im Unternehmen

In der Produktion ist es ebenfalls sinnvoll, kleine „Unternehmen im Unternehmen" zu schaffen. Jeder Fertigungs- beziehungsweise Montagebereich sollte mit voller Befugnis und Kostenverantwortung ausgestattet sein. Bei Serien- oder Massenfertigern bietet es sich möglicherweise an, Fertigungs- und Montagebereiche produktbezogen zu Gesamteinheiten zusammenzufassen.

Anordnung stets gemäß des auftragsbezogenen Flusses

Die Gesamtanordnung der einzelnen Funktionen zueinander sowie der innere Aufbau der Funktionen sollten gemäß des auftragsbezogenen Flusses von Informationen und Material erfolgen. Dies ist von essentieller Bedeutung, um Bestände konsequent niedrig zu halten und den Durchsatz zu erhöhen.

Für ein Funktionieren der Zusammenarbeit der selbstständig agierenden Bereiche ist es meiner Erfahrung nach hilfreich bis nahezu unerlässlich, ein einheitliches EDV- beziehungsweise Datenverwaltungssystem zu unterhalten. Dies ist in vielen Unternehmen eine Grundvoraussetzung, um Informationen übergreifend in eine Art Takt bringen zu können – rein in den „Datensupermarkt" und fertig zur Abholung durch den internen Kunden, der die Information im Idealfall dann auch gleich abgreift, um im Takt weiter zu arbeiten.

Auch wenn viel dafür spricht, habe ich doch Zweifel, dass diese Antwort Allgemeingültigkeit beanspruchen kann. Daher möchte ich Ihnen im Folgenden lieber kompakt eine Art Entscheidungsraster für eine passende Unternehmensstruktur an die Hand geben und die Frage entsprechend anders formulieren:

55. Wie finde ich eine passende Unternehmensstruktur?

Über dieses Grundlagenthema der Organisationsbetriebslehre ließen sich leicht ganze Bücher schreiben. Und es sind auch schon zahlreiche Bücher geschrieben worden. Im Sinne dieses Buches, möglichst pragmatische Antworten geben zu wollen, versuche ich dieses komplexe Thema in vertretbarem Umfang aufzuarbeiten:

Betrachten wir das Unternehmen dennoch zunächst aus der Makro- oder Adlerperspektive und nähern wir uns der Unternehmensstruktur schrittweise. Am Anfang stehen die Unternehmensziele. Diese basieren im Kern auf der Frage, mit welchen Produkten das Unternehmen auf welchen Märkten, welche Marktanteile bis wann erreichen möchte. Mit den Unternehmenszielen ergibt sich die Frage, wie die vorhandenen Ressourcen auf das Erreichen dieser Ziele ausgerichtet werden sollen, also, welche Strategie das Unternehmen zum Erreichen seiner Ziele wählt. Marktseitig geht es um die Frage der passenden Produkte, der passenden Vertriebswege, der passenden Preisbildung und – diese drei Perspektiven begleitend – der passenden Kommunikation. Organisatorisch geht es darum, eine zu den Zielen und der Strategie passende Aufbauorganisation zu finden – ganz im Sinne von „Structure follows Strategy"

Structure follows Strategy

Eine Strategie der Kostenführerschaft wird beispielsweise zu einer etwas anderen Aufbauorganisation führen, als wenn dasselbe Unternehmen sich als Qualitätsführer oder gar als Technologie- bzw. Innovationsführer etablieren möchte. Zwar werden in allen drei Strukturen alle üblichen betrieblichen Funktionen zu finden sein, jedoch mit unterschiedlicher Ortswahl und in unterschiedlicher Ausprägung. Während ein Kostenführer tendenziell in Billiglohnländern produziert, wird ein Innovationsführer dies nicht tun und zudem eine vergleichsweise große Entwicklungsabteilung unterhalten usw. Eine passende Unternehmensstruktur ist am Ende die, die den betrieblichen Abläufen einen möglichst passenden Boden bereitet.

Ausgehend von der Annahme, dass es keine universell effizienten Organisationsstrukturen gibt und sich die Organisation entsprechend an ihre Umwelt anpassen muss, geht es darum, zu entscheiden, wie innerhalb der vorhandenen Gestaltungsmöglichkeiten mit den folgenden Kriterien umgegangen werden soll:

Vier Kriterien

- Spezialisierung,
- Koordination,
- Konfiguration und
- Formalisierung.

Zur Entscheidung führt dabei stets die Frage nach dem entsprechenden Kriterium:

a) Wie viel und welche Art Spezialisierung benötige ich für das Erreichen meiner unternehmerischen Ziele?

Spezialisierung

Heutzutage ist es eine Binsenweisheit, dass Arbeitsteilung Organisationen effizienter macht. Doch um welchen Grad der Arbeitsteilung handelt es sich dabei? Großunternehmen haben oft dadurch erhebliche Effizienzprobleme, dass es viele, sehr viele Mitarbeiter gibt, die hochspezialisierte Tätigkeiten ausführen, aus der Perspektive ihrer Tätigkeit heraus jedoch keinen Blick für Zusammenhänge haben (können) und es daher in diesen Unternehmen dazu kommt, dass – bildlich gesprochen – zahlreiche Diabetrachtungen an Stelle der Betrachtung eines gesamten Auftragsbearbeitungsfilms stattfinden. Die „Diaperspektive" der einzelnen Mitarbeiter macht den Ablauf des „Auftragsbearbeitungsfilms" holperig. Um für dieses Problem unmittelbar zu einer Lösung zu gelangen, empfiehlt sich der Einsatz der in diesem Buch dargestellten Vorgehensweise. Mit diesem letzten

Kapitel geht es nunmehr darum, den Begriff Spezialisierung für die aktive Gestaltung von Organisationen tauglich zu machen, indem wir ihn analysieren.

Grundsätzlich lassen sich objektorientierte und verrichtungsori- entierte Spezialisierung unterteilen. Wer seine Tätigkeiten oder gar ganze Abteilungen objektorientiert spezialisiert, muss dafür Sorge tragen, dass die Mitarbeiter alle Verrichtungen beherr- schen. Dazu ein Beispiel: In einer Schreinerei werden Möbel hergestellt. Ist die Spezialisierung im Unternehmen objektorien- tiert, so gibt es einen Schreiner, der Stuhlbeine herstellt, einen anderen für die Sitzflächen, einen dritten für Tischplatten usw. Jeder dieser Mitarbeiter muss dann jedoch alle Verrichtungen beherrschen, vom Sägen, über das Bohren, Schleifen, Polieren ggf. bis zum Lackieren. Bei verrichtungsorientiertem Aufbau ist dies umgekehrt. Dort gibt es Spezialisten fürs Sägen, fürs Boh- ren, Schleifen, Polieren etc. Diese Mitarbeiter müssen nun jedoch mit ihrer speziellen Verrichtung jedes Objekt bearbeiten können.

Ähnlich ist es in den Bürobereichen eines größeren Unterneh- mens. Dort muss man sich vielleicht die Frage stellen, ob in der kaufmännischen Bearbeitung von Projekten ein Kaufmann jeweils ein gesamtes Projekt bestimmter Art betreut und alle entsprechenden Inhalte beherrschen muss, oder ob es Spezialis- ten für die Vorkalkulation, für das Angebot, für den Vertragsab- schluss, für die Nachkalkulation und so weiter gibt. Im Marketing bzw. dem Vertrieb geht es vielleicht um die Frage, ob ein Kun- dengruppenmanagement oder gar ein Key-Account-Manage- ment eingerichtet werden soll. Ebenso könnte sich im Einkauf die Frage nach der Einrichtung eines Materialgruppenmanage- ments stellen. Beides hätte zur Folge, dass die entsprechenden Mitarbeiter alle entsprechenden Verrichtungen beherrschen müssten – beim Key-Account-Management wäre eine Komplett- betreuung eines wichtigen Kunden zu erbringen, beim Materi- algruppenmanagement die kompletten Einkaufsleistungen für eine bestimmte Materialgruppe.

Dazu ist festzuhalten, dass kleine Unternehmen oft auf ganze Objekte spezialisiert sind, große Unternehmen hingegen eher auf Verrichtungen. Ersteres fördert eher das Denken in Zusammenhängen, in eine Verrichtungsspezialisierung hingegen kann man Mitarbeiter schneller einarbeiten.

Auf Abteilungs- bzw. Geschäftseinheits- oder gar Unternehmensebene transferiert führt diese Betrachtung zu der Frage, ob man möglichst viele funktionale Spezialisten bzw. Spezialistenorganisationen haben möchte, oder ob man möglichst autonome Bereiche haben will, die wenige Leistungen anderer in Anspruch nehmen, weil sie hinsichtlich des insgesamt geforderten Leistungsspektrums voll handlungsfähig sind, vielleicht im Sinne eines Profit-Centers.

b) Wie sollen die im Unternehmen zu erbringenden Leistungen auf die Ziele des Unternehmens ausgerichtet bzw. koordiniert werden?

Koordination

Eng mit der Spezialisierung ist die Koordination verbunden. Um Leistungen ganzheitlich und effizient auf die Unternehmensziele ausrichten zu können, bietet sich in der überwiegenden Zahl der Fälle eine objektorientierte Spezialisierung an – wenn auch in unterschiedlicher Tiefe und Ausprägung. Eine Verrichtungsorientierung führt bei genauem Hinschauen oft zu einer schier unfassbaren Anhäufung überflüssiger Detailarbeit und oft auch noch zu entsprechendem – nicht Wert schöpfendem – Controlling, insbesondere in Großunternehmen. Der gesamte Misstand kann dann oft nicht mehr effizient koordiniert werden und ist letztlich nur noch „mit Gewalt", in Umstrukturierungsprojekten, aufzulösen, weil keiner der Beteiligten mehr die Zusammenhänge sieht und in der Entstehungsgeschichte seiner jeweiligen Detailwelt verhaftet ist. Ist dann eine passende Spezialisierung gefunden, die grundsätzlich eine effiziente Koordination ermöglicht, geht es um die Frage, mit welchen Mitteln koordiniert werden soll.

Arten der Koordination

Es gibt strukturelle und nicht strukturelle Möglichkeiten der Koordination. Die strukturellen Möglichkeiten der Koordination sind zu unterteilen in persönliche und unpersönliche Koordination. Im Rahmen der persönlichen Koordination können wir unterscheiden zwischen persönlichen Weisungen und Selbstabstimmung, im Rahmen der unpersönlichen Koordination zwischen Programmen und Plänen. Als nicht strukturelles Mittel,

Leistungen auf ein Ziel auszurichten, soll hier die Unternehmenskultur dargestellt werden.

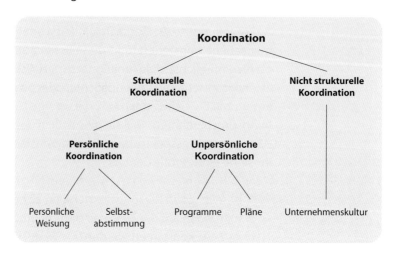

Persönliche Weisung

Einfach umzusetzen

Persönliche Weisungen sind einfach zu gestalten, durch das Einsetzen eines Vorgesetzten. Diese Art der Koordination macht die Leistung der entsprechenden Funktion jedoch stark abhängig von dieser Person und seiner Qualifikation.

Selbstabstimmung

Viel Motivation, informelle Machtstrukturen

Auch die Selbstabstimmung ist einfach zu gestalten. Hier gibt es drei Arten zu unterscheiden: die fallweise Selbstabstimmung, die themenspezifische und die institutionalisierte, bspw. wöchentliche Selbstabstimmung. Positive Motivationsaspekte stehen hier möglichen informellen Machtstrukturen gegenüber. Letztere können Entscheidungsprozesse erheblich verkürzen, sind jedoch als kritisch zu bewerten, wenn die Interessen der informellen Machthalter dem Erreichen der Unternehmensziele zuwiderlaufen. Dies ist nicht immer transparent.

Programme

Was ist programmierbar?

Programme setzen voraus, dass entsprechend zu koordinierende Abläufe programmierbar sind. Ist dies gegeben, entlastet der Einsatz von Programmen die Instanzen, Unsicherheit wird reduziert, die Einarbeitung neuer Mitarbeiter geht rascher vonstatten, man macht sich unabhängiger von der Einzelleistung des Mitarbeiters und unter Umständen muss die Qualifikation des Mitarbeiters nicht so hoch sein. Die starren Muster vieler Programme, die eventuelle Einseitigkeit der Tätigkeiten und mangelnde Flexibilität führen jedoch oft zu Demotivation. Programme fördern auch, dass wegen des zuweilen hohen Aufwands für Programmänderungen spät auf Veränderungen der Umwelt reagiert wird.

Pläne

Im Zentrum: Das Ziel

Pläne werden periodisch festgelegt und beinhalten Ziele. Liegen die Ziele fest, was mit der Umsetzung eines bestimmten Plans erreicht werden soll, wird den Beteiligten je nach Unternehmen mehr oder weniger viel Freiheit eingeräumt, wie sie das Ziel bis zu einem bestimmten Zeitpunkt erreichen.

Unternehmenskultur

Wird durch Kommunikation reproduziert

Eine Unternehmenskultur basiert auf Werten, die durch das verbale und nonverbale Kommunikationsverhalten der Mitarbeiter reproduziert und weiterentwickelt werden. Mit diesen Werten einher geht ein Gefühlswert dem Unternehmen gegenüber sowie unternehmensinterne formelle und informelle Regeln, welche die Erwartungen an das Verhalten der Mitarbeiter und Führungskräfte sowie entsprechende Sanktionierungspotenziale festlegen.

Im Idealfall wirkt die Unternehmenskultur positiv, wenn es darum geht, die Mitarbeiter auf das Erreichen der Unternehmensziele auszurichten. Die Vorteile einer gut abgestimmten und zu den Mitarbeitern und Führungskräften passenden Kultur im Unternehmen, der Art und Weise, wie Informationen gewonnen, verarbeitet und vermittelt werden, liegen auf der Hand:

Vorteile einer passenden Kultur

- Effiziente Kommunikation,

- eindeutige Handlungsorientierung,

- Zeitersparnisse bei der Informationsgewinnung und -verarbeitung, der Entscheidungsfindung sowie dem

Implementieren von Plänen und dem Durchführen von Projekten,

- hohe Identifikation mit dem Unternehmen und seinen Zielen,

- hohe Motivation und Loyalität, geringer Krankenstand und geringe Fluktuation,

- Stabilität und Zuverlässigkeit, geringer Kontrollaufwand,

- reibungsarme und effiziente Abläufe sowie

- eine – im Idealfall – sich selbst regulierende und stets den Erfordernissen angepasste Aufbauorganisation.

Mögliche
Nachteile

Andererseits kann eine ausgeprägte Unternehmenskultur auch zu gravierenden Nachteilen führen. Eine stabile und ausgeprägte, aber nicht an geänderte Markterfordernisse angepasste Unternehmenskultur führt unter Umständen zu einer Versteifung der Abläufe und zu einer Idealisierung der Erfolge der Vergangenheit. Ist wiederkehrendes kritisches Prüfen der Vorgehensweise nicht fester Bestandteil der hausinternen Kultur, wird der Bedarf für Kurskorrekturen oft zu spät erkannt.

Mit ausgeprägten Kulturen einher gehen auch Stereotypisierungen der Außenwelt – zum Beispiel dass man ja ohnehin besser sei als die Konkurrenz – sowie zum Teil gravierende Zensuren, wenn nicht sogar Selbstzensuren von Abweichlern und kritisch mitdenkenden Mitarbeitern, die wertvolle Beiträge dazu leisten könnten, das Unternehmen im Bedarfsfall wieder auf Kurs zu bringen.

Es wird wohl kein Unternehmen geben, das versucht, seine Leistungen nur mit einer der hier dargestellten Arten auf seine Unternehmensziele auszurichten. Daher lautet die Frage, die man sich nun stellen muss, welche der dargestellten Koordinationsinstrumente welchen Stellenwert eingeräumt bekommen sollen bzw. mit Blick auf welches Koordinationsinstrument welcher Handlungsbedarf besteht. Soviel zum Thema Koordination.

c) Welche Konfiguration/Unternehmensstruktur ist mit
Blick auf die Unternehmensziele passend?

Konfiguration

Ich möchte nun nicht im Detail auf Vor- und Nachteile von Einlinien-, Mehrlinien- und Matrixorganisationen eingehen. Dennoch sei so viel gesagt, dass eindeutige Über- und Unterstellungsverhältnisse dazu beitragen, den Koordinations- und Abstimmungsaufwand niedrig zu halten. Dies gilt auch für Projektorganisationen.

Zentralisierung

Dezentralisierung

Vielmehr seien hier Zentralisierung und Dezentralisierung einander gegenüber gestellt. Zentralisierung führt zwar oft zu langen Wegen und langwierigen Entscheidungen, jedoch bietet sie den Vorteil, dass Entscheidungen durch die zentrale Handhabe tendenziell aufeinander abgestimmt sind und Doppel- oder gar Dreifacharbeit vermieden werden kann. Dies ist bei dezentralen Strukturen nicht gewährleistet. In solchen Strukturen sind jedoch Motivation und Arbeitszufriedenheit höher. Darüber hinaus führt dort die höhere Flexibilität tendenziell zu rascheren und vor allem zu besseren Problemlösungen, weil die Lösung einerseits in größerer Nähe und damit in stärkerem Bezug zum jeweiligen Problem gefunden wird und andererseits tendenziell diejenigen an der Lösung mitarbeiten, die auch von dem Problem betroffen sind. Weiterhin werden in dezentralen Strukturen wegen der größeren Nähe zum Markt aktuelle Chancen besser genutzt und Risiken realistischer eingeschätzt. Auch die Innovationsbereitschaft ist höher. Und durch die tendenziell geringere Spezialisierung als in zentralen Strukturen bildet sich verstärkt auch eigenverantwortliches Handeln und Prozessdenken heraus – mit Blick auf den Kunden statt auf die Konzernzentrale, Berichte und Controlling.

Interessanterweise funktioniert in dezentralen Strukturen erwiesenermaßen auch die Kostenkontrolle besser. Zwar werden zentrale Strukturen oft genau mit diesem Motiv ins Leben gerufen, jedoch lässt sich in den dezentralen Einheiten, vor Ort, meist viel besser entscheiden, welche Ausgaben oder Investitionen wirklich notwendig sind, um ein bestimmtes unternehmerisches Ziel, allen voran die Maximierung der Rendite, erreichen zu können. Daher möchte ich ausdrücklich anmerken, dass die Frage der Kostenkontrolle unterm Strich – vermeintlich paradoxerweise

– oft eine Frage des Vertrauens seitens der Konzernzentrale ist, und damit letztlich der passenden Besetzung von Führungspositionen.

Die Beantwortung der Frage nach zentraler oder dezentraler Struktur hat besonders große Auswirkungen in großen Unternehmen mit internationaler Marktpräsenz. Dabei geht es oft nicht nur um eine passende Vertriebsstruktur, sondern auch um den Aufbau und die effiziente Vernetzung von Produktionsstätten. Hat man sich für eine dezentrale Struktur entschieden – was nach meiner Auffassung zur adäquaten Bearbeitung länderspezifischer Märkte unumgänglich ist –, gibt es grundsätzlich zwei Möglichkeiten der dezentralen Konfiguration: die funktionale und die divisionale Struktur.

Funktionale Struktur

Die funktionale Struktur ist dadurch gekennzeichnet, dass alle Mitarbeiter einer Funktion über die Hierarchie miteinander „verknüpft" sind, von der dezentralen Einheit bis in die Unternehmenszentrale. Dies führt über die Ländergrenzen hinweg zu einem hohen Koordinationsaufwand, zur Überlastung der Instanzen und auch zu einem überproportionalen Anstieg von Konflikten. Letzteres ist insbesondere der Fall, weil bei einer Vielzahl der Entscheidungen mehrere betriebliche Funktionen mitwirken – bei der funktionalen Struktur gegebenenfalls unter Einbindung aller Hierarchieebenen. Insbesondere dadurch kann sich das Management in solchen Strukturen letztlich oft nicht mehr auf seine strategischen Aufgaben konzentrieren. Ganz allgemein kommt es dazu, dass bei funktionaler Ausrichtung Einzelanforderungen eher schlecht berücksichtigt und tendenziell von funktionsspezifischen Regularien erstickt werden.

Divisionale Struktur

Als Alternative bietet sich die divisionale Struktur an. Dabei sind in jeder dezentralen Organisationseinheit alle Funktionen so ausgestattet, dass vor Ort verbindlich und endgültig Entscheidungen getroffen werden können. Die Vorteile sind die, die oben bereits für die dezentrale Struktur in Abgrenzung zur zentralen Struktur genannt wurden. Lediglich hinsichtlich einer einheitlichen Unternehmenskultur und hinsichtlich des potenziellen Verlusts von Synergien und Größenvorteilen kommen Fragen auf.

Trotz der tendenziell überwiegenden Vorteile divisionaler Strukturen sind vor der Einrichtung von Divisionen einige Fragen zu klären:

1. Welche Funktionen sind dezentral anzuordnen, welche müssen zentral bleiben?

2. Welche Produkte werden welchen Divisionen zugeordnet?

3. Welche Entscheidungen werden zu welchem Grad delegiert?

4. Wie konsequent wird ein einheitliches Informationssystem eingeführt?

5. Wie wird ein Verrechnungspreissystem für den internen Leistungsaustausch ausgestaltet?

    d) Wie viel und welche Formalisierung benötigt das Unternehmen?

Formalisierung   Die letzte übergreifende Frage ist die nach der Formalisierung. Zu unterscheiden sind Formalisierungen der Struktur (z. B. Organigramme, Stellenbeschreibungen, Handbücher, Verfahrens- und Arbeitsanweisungen), des Informationsflusses (z. B. Aktenmäßigkeit aller Vorgänge) und die Dokumentation von Leistungen (z. B. Personalbeurteilungsverfahren und Zeiterfassungssysteme). Meiner Auffassung nach sollten insbesondere alle Regeln und Vorschriften auf dem Prüfstand stehen. Fragen, die dabei unterstützen können, sind beispielsweise:

- Wie viele Anweisungen/Richtlinien gibt es im Unternehmen?

- Wie viele verschiedene Stellen gibt es im Unternehmen?

- Welches ist die unterste Ebene, auf der noch eine Entscheidung getroffen werden kann?

Der Grad der Formalisierung ist mit äußerstem Bedacht zu wählen. Sind Regeln einmal vorhanden, verschwinden sie selten

Jede Regel entsteht aus einem Anlass; der Anlass verschwindet, die Regel bleibt

wieder. Eine Regel entsteht gemeinhin aus einem Anlass heraus. Gibt es den Anlass nicht mehr, bleibt die Regel in vielen Organisationen markanterweise bestehen. Im zeitlichen Verlauf führen schließlich immer neue Anlässe zu immer mehr Regeln, deren möglichst genaue Umsetzung erwartet wird. Anstatt die bestehenden Regeln anzupassen oder wenn möglich abzuschaffen, kommen immer neue Regeln hinzu. Dies gilt insbesondere für große Organisationen. Auffällig ist, dass mit dem mengenmäßigen Wachstum der Regeln die Anzahl der Mitarbeiter überproportional steigt, die deren Einhaltung überwachen sollen. So kommt es oft zu erheblichem Personalzuwachs, der jedoch nicht zu einer Erhöhung der Wertschöpfung beiträgt, sondern zu ihrer relativen Verminderung. Als Beispiel mag hier das britische Marineministerium dienen: Während die Flotte kleiner wurde, wuchs die Administration massiv an. Ebenso entwickelte sich das britische Kolonialbeamtentum im Vergleich zum faktischen Kolonialimperium.

Britisches Marineministerium				Britisches Kolonialministerium		
	Großschiffe	Verwaltungs-beamte			Kolonial-imperium	Verwaltungs-beamte
1914	62	2000		1935	mächtig	327
1928	20	3569		1957	geschrumpft	1991

Zu diesem Effekt kommt ein zweites Phänomen hinzu: Verfügt eine Organisation einmal über viele Regeln und ein verzweigtes Netz von Personen, deren Aufgabe es ist, die Einhaltung der Regeln zu überwachen, so bleibt oft wenig Raum für Entscheidungen, die schlicht auf der Basis gesunden Menschenverstands getroffen werden. Wer dann die Gegebenheiten von einer anderen Perspektive aus betrachtet, als die organisationsinternen Regeln dies zulassen, wird mit den Organisationsteilnehmern nur in den seltensten Fällen zu einer konstruktiven Diskussion über den Zweck bestehender Regeln gelangen. In den meisten Fällen werden diese schlicht auf die Regel verweisen. Anders ausgedrückt: Wenn eine stark regulierte Organisation darauf hingewiesen wird, dass ihre Regeln nicht mehr an die aktuellen, geänderten Gegebenheiten angepasst sind, versteift sich die

Je mehr Regeln, desto schwieriger die Anpassung an geänderte Rahmenbedingungen

Organisation, anstatt sich zu flexibilisieren. Dies ist insbesondere bei großen Organisationen zu beobachten, sollte jedoch generell zum wohlbedachten Umgang mit dem Thema Formalisierung und Controlling mahnen.

Nun liegt es bei Ihnen, lieber Leser, die Frage nach der passenden Gestaltung des Unternehmens zu beantworten. Erfahrungsgemäß hilft dabei die grundlegende Unterteilung in organische und mechanische Strukturen, die ich daher abschließend bieten möchte:

Organische Strukturen	Mechanische Strukturen
• wenige Regelungen	• viele Regelungen
• ungenaue Regelungen	• sehr genaue Regelungen
• geringe Qualifikationsunterschiede der Mitarbeiter	• hohe Qualifikationsunterschiede der Mitarbeiter
• kaum Hierarchien	• ausgefeilte Hierarchien

In diesem Zusammenhang werden oft Agenturen und Behörden als idealtypische Vertreter einander gegenüber gestellt. Ordnen Sie Ihr Unternehmen zwischen diesen so genannten Idealtypen ein und treffen Sie die Entscheidung, ob sich Ihr Unternehmen dort, wo es zwischen Agentur und Amt positioniert ist, an der richtigen Stelle befindet oder ob es sich bewegen muss. Wenn es sich bewegen muss, lauten die aufbauorganisatorischen Stellschrauben: Spezialisierung, Koordination, Konfiguration und Formalisierung.

Kontinuierliche Verbesserung bedeutet: Prozesse entwickeln, insbesondere jedoch: Menschen entwickeln und miteinander reden.

6   Schluss: Danke und ein Zitat

Für die vielen Jahre fruchtbarer Zusammenarbeit möchte ich mich auch an dieser Stelle noch einmal ausdrücklich bedanken bei meinen früheren Kollegen Klaus Fernekeß, Peter Schmitt, Hilmar Feisthammel und Klaus Pospich sowie bei allen anderen, die an der Entstehung und kontinuierlichen Weiterentwicklung der hier dargestellten Methode mitgewirkt haben.

Außerdem möchte ich Klaus Bieber für das methodische Grundgerüst des Level-Modells sowie die vielen fruchtbaren Gespräche danken. Getreu dem Motto „Das Bessere ist des Guten Feind" stecken wir seit Jahren in größeren Abständen immer wieder mal die Köpfe zusammen und reflektieren gemeinsam, wie man die gesamte Vorgehensweise, die mittlerweile gleichermaßen auf die Entwicklung von Prozessen, Menschen und gesamten Unternehmen ausgerichtet ist, noch besser machen kann. Dies werden wir auch weiterhin tun – nicht zuletzt, um uns dabei auch selbst weiter zu entwickeln. Bevorzugt tun wir dies in „Panama-Nord" :-).

Abschließen möchte ich die Darstellungen in diesem Buch mit einem Zitat von Ray Carrell, dem Mann, der seinerzeit an der Spitze eines mittelständisch geprägten Industriekonzerns stand und der dabei über einen Zeitraum von fünf Jahren mit Geduld, Weitsicht und Offenheit für neue Ideen die Konzeption, den Ausbau und die schrittweise Perfektionierung der hier dargestellten Methode möglich gemacht hat:

> „Hier schimpfen die Mitarbeiter nicht mehr über ihre Probleme und Problemchen im Arbeitsalltag, sondern sie packen die Probleme an und lösen sie."

> *Ray Carrell*